S ł a w o m i r   B i e l a

En los Brazos de
María

¿No estoy yo aquí, que soy tu Madre?

Vol. I
Colección Tras las Huellas de San Juan Diego

Copyright © 2004

ISBN 0-9720211-1-6

Informes:

Templo del Espíritu Santo
(La Compañía)
4 Sur y Palafox 403
Tel/Fax (01 222) 2-32-23-75
C.P. 72000
Puebla, Pue., Méx.

Impreso y hecho en México

Todas las citas bíblicas fueron tomadas de la Biblia de
Jerusalén Edición Española, Desclee de Brouwer, Bilbao.

ARQUIDIOCESIS DE DURANGO

Durango, Dgo., a 21 de Marzo del 2002

"EN LOS BRAZOS DE MARIA"
Slawomir Biela

Censor:

Mons. Miguel Angel García Avitia
Vicario General

Por disposición del Excmo. Sr.
Arzobispo de Durango, se
Concede el

IMPRIMATUR

Pbro. Lic. Lydio Pérez García
Secretario Canciller

SECRETARIA
ARZOBISPADO DE DURANGO

"Los pastores están dentro de la familia de Dios a su servicio" . P.249

20 DE NOV. 306 PTE. APDO. POSTAL 116 TEL. 811-42-42 FAX. 812-88-81 DURANGO, DGO.

V

He venido a arrojar fuego sobre la tierra y ¡cuánto desearía que ya estuviera ardiendo! (Lc.12,49).

A mi querido Santo Padre Juan Pablo II, que tanto anhela que el fuego de la Nueva Evangelización prenda ya.

NOTA BIOGRÁFICA SOBRE EL AUTOR

Slawomir Biela nació en Polonia en 1956. Estudió en la Universidad Tecnológica de Varsovia, donde obtuvo su doctorado en Física. También estudió en la Pontificia Facultad de Teología en Varsovia, especializándose en Teología Espiritual.

Desde 1977 Slawomir Biela ha estado colaborando muy de cerca con el R. P. Tadeusz Dajczer, Profesor de Teología, quien es a su vez el fundador del Movimiento de las Familias de Nazaret. Juntos, a través de incontables y laboriosos esfuerzos, pusieron los cimientos de la espiritualidad de este Movimiento mundial.

En consecuencia, desde 1986 Slawomir ha sido miembro del equipo editorial, responsable de la edición de diversas publicaciones relacionadas con la formación espiritual de los miembros del Movimiento. Para su oportuna distribución, estas publicaciones han sido traducidas al: portugués, español, inglés francés, catalán, italiano, alemán, húngaro, eslovaco, checo, letón, ucraniano, ruso y noruego.

El libro "En los Brazos de María" es el fruto de muchos años de profundas reflexiones y apreciaciones del autor, en relación a la espiritualidad cristiana. En él, el autor explica y menciona las varias etapas de la vida interior. Por esta particular razón, el libro puede ser una fuente de renovación espiritual, tanto para principiantes como para aquellos que están más avanzados en el camino hacia una "unión transformante con Cristo".

Este libro presenta la misma vena o impulso de espiritualidad que contiene el "best-seller" "Meditaciones sobre la Fe", del R. P. Tadeusz Dajczer, el cual ha sido ya traducido a más de 50 idiomas.

PRÓLOGOS DE:

Norberto Cardenal Rivera Carrera
Arzobispo Primado de México

Teodoro Cardenal McCarrick
Arzobispo de Washington

Ricard Maria Cardenal Carles Gordó
Arzobispo de Barcelona

Jaime Cardenal L. Sin
Arzobispo de Manila

Audrys Cardenal Juozas Bačkis
Arzobispo Metropolitano de Vilna

Prólogo a la edición mexicana
del Cardenal Norberto Rivera Carrera
Arzobispo Primado de México

En los Brazos de María

Entre los caminos que el Espíritu Santo ha dispuesto para la renovación de la Iglesia ocupa un lugar destacado el insistente llamado que nos recuerda la vocación universal de todo bautizado: *la santidad.* Desde el capítulo V de la Constitución Dogmática *Lumen Gentium* del Vaticano II, hasta el capítulo III de la Carta Apostólica *Novo Millennio Ineunte* – por no mencionar otros documentos y voces del magisterio reciente- la santidad se viene expresando cada día más como una urgencia y prioridad pastoral, fundamento de toda pastoral. Por esto mismo, ha sido una preocupación constante del Santo Padre ofrecer al mundo contemporáneo modelos nuevos de santidad -sacados del tesoro de la Iglesia Santa- hombres y mujeres que se han abierto al don de la santidad. Hombres y mujeres de todas las condiciones sociales, de diferentes oficios y situaciones familiares, representativos de las condiciones ordinarias y extraordinarias de la vida, de diferentes latitudes y culturas, cercanos y parecidos a nosotros, como las personas con que convivimos en la vida cotidiana.

La santidad no es una añadidura ni mucho menos un recurso más para tener éxito en los planes pastorales. Es la misma voluntad de Dios como nos lo recuerda San Pablo: **"Esta es la voluntad de Dios: vuestra santificación"** (1 Tes. 4,3), es la razón de ser de nuestra vida y la misión de la Iglesia: la plena comunión de los hombres con Dios, nuestra conformación con Cristo, y por medio de Él, ser introducidos en el misterio de la comunión trinitaria (cfr. Jn, caps.14-17).

Gracias a Dios se han venido rompiendo las imágenes inadecuadas y los estereotipos deformados de la santidad, según los cuales ésta es algo propio de hombres o mujeres extraordinarios, de "genios de la santidad"; y no la vocación de todo bautizado que habiendo sido incorporado a Cristo, está llamado a que esta vida de Cristo crezca en él hasta abarcarlo todo. Hoy la santidad debe ser presentada con una adecuada pedagogía, pues "los caminos de la santidad son personales y exigen una pedagogía de la santidad verdadera y propia, que sea capaz de adaptarse a los ritmos de cada persona" (cfr. Juan Pablo II, *Novo Millennio Ineunte*, 31).

Nosotros los mexicanos tenemos en el acontecimiento guadalupano un magnifico ejemplo de esa pedagogía adaptada e "inculturada". La pedagogía guadalupana -mariana- tiene en el indio Juan Diego unos primeros frutos de santidad que hoy se nos proponen como modelo -gracias a su canonización- a los mexicanos y a todos los hombres y mujeres del siglo XXI. Hoy tenemos que poner de

relieve que el hecho guadalupano, es decir, el encuentro de María con Juan Diego es un encuentro evangelizador y generador de santidad, es decir, un privilegiado encuentro con Cristo.

María sale al encuentro de "Juanito, Juan Dieguito", como ella lo llamó desde la primera aparición. Este hombre pobre, en el sentido del evangelio, es alguien abierto al amor de Dios que se le manifiesta de un modo especial en el amor de María. Ella lo elige como su mensajero o enviado, y como en toda misión divina, el enviado no va solo, sino que con él va quien lo envía. La santidad y la misión son siempre algo personal, aunque estén fundadas en una vocación universal.

Juan Diego es para nosotros un ejemplo del camino de la fe y de sus pruebas. Si ya el envío era una prueba de fe, la enfermedad de muerte de su tío Juan Bernardino se añade como algo "inoportuno" en el momento central de su misión: llevar la señal solicitada por el Obispo. Sin embargo, ante su debilidad, María no lo abandona, finalmente es Ella quien sale a su encuentro y le conforta para que se abandone como un niño en *los brazos de María*.

Entonces, a pesar de la debilidad de su fe, y tal vez por ello, María se le revela aún más plenamente como su Madre con un dulce reclamo: "¿No estoy aquí Yo, que soy tu Madre?...¿Tienes necesidad de alguna otra cosa?" (NM 119) Estas palabras son el eco de las que dirigió Nuestro Salvador a María y a Juan cuando estaban al pie de la cruz: **"...ahí tienes a tu hijo...ahí tienes a tu madre"** (Jn. 19,26-27) Juan Diego entonces, fortalecido en su fe por María, se confía a ella, se abandona en ella y va a cumplir lo que le pide. María y Juan Dieguito, igual que María y Juan, entran en ese momento en una especial comunión de vida, en un especial *camino de santidad*. Y así como san Juan el apóstol en respuesta al testamento de Cristo **"desde aquella hora la acogió en su casa"** (Jn. 19,27), también Juan Diego fue a vivir con María; no sólo fue a vivir y servir hasta el fin de su vida en la ermita que se construyó, sino que entró en una especial comunión de vida con María, que fue el camino de su santificación. Se quedó *En los Brazos de María* para ser conducido a la santidad.

Por eso, de buena gana, presentamos y recomendamos este libro *En los Brazos de María*, que aunque su tema no es el acontecimiento guadalupano, es una ayuda oportuna para leer y aplicar a nuestras vidas, lo que esta implícito en el encuentro entre la Madre de Dios y Juan Diego, y así descubrir la forma en que María lo conduce al crecimiento de la fe y al abandono total al amor de la Madre, como si esta fuera la *pedagogía* de *María de Guadalupe para la santificación*. Es necesario que descubramos en el acontecimiento guadalupano no sólo la elección de Juan Diego para una misión, ya de suyo dificil para él, sino también la preocupación y actuación de María por la santidad del enviado.

En los Brazos de María es un claro, sencillo y profundo libro, en él el autor nos desmenuza pedagógicamente algunos elementos del camino a la santidad: la oración, sus modelos, la manera de introducirse en ella a través de los caminos del Evangelio. El camino que se nos presenta en este libro se nutre de la misma fuente, cava en la misma veta del camino cristocéntrico y mariano del que se ha alimentado la espiritualidad y el pontificado de Juan Pablo II. Slawomir Biela, polaco como el Papa, nos desmenuza también de su mano los hitos centrales de la vida de aquella "que nos precede en la peregrinación de la fe". María es la ayuda indispensable y el modelo de nuestro caminar en la oscuridad de la fe hasta llegar a vivir adheridos totalmente a la voluntad del Padre. Este libro esta en la misma línea del libro *Meditaciones sobre la Fe*, "best seller" de espiritualidad del que ha sido fundador del Movimiento de las Familias de Nazaret, el Padre Tadeusz Dajczer (libro que ha sido traducido ya a 46 lenguas y que lleva entre nosotros más de cinco ediciones). Este movimiento de origen polaco expandido por todo el mundo, ha sido una ayuda espiritual que alimenta a más de trescientas mil personas en el mundo y varias decenas de miles en nuestro México.

Que nuestra "Morenita del Tepeyac", que hoy nos concede la elevación de su Juan Dieguito a los altares, suscite imitadores suyos, que sin miedo, seguros de estar *En los Brazos de María*, se decidan a la obra de la Nueva Evangelización con un nuevo ardor de santidad.

México D.F., a 26 de febrero de 2002

Cardenal Norberto Rivera Carrera
Arzobispo Primado de México.

Prólogo a la edición norteamericana del Cardenal Teodoro McCarrick Arzobispo de Washington

En este tercer milenio, al continuar respondiendo al llamamiento del Santo Padre Juan Pablo II a la Nueva Evangelización, debemos recordar además que nosotros, individualmente, estamos también siendo impulsados por la espiritualidad de los acontecimientos en nuestras vidas, para responder de forma más apremiante a la vocación que Dios nos dio a la santidad. Como lo supone la Nueva Evangelización, esta respuesta llama a un renovado ardor y sincera apertura al Espíritu Santo, la clase de apertura que permite "buscar primero Su Reino y Su Justicia" (Mt 6,33). Para dar ejemplo de tal respuesta al llamamiento de Dios a través de su propia profunda vida espiritual, el Santo Padre nos recuerda el reto de Cristo a que confiemos audazmente en Él al "bogar mar adentro, y echar nuestras Redes para pescar" (Lc 5,4).

Adicionalmente el Papa Juan Pablo II enseña que "no basta renovar los métodos pastorales, ni organizar y coordinar mejor las fuerzas eclesiales, ni explorar con mayor agudeza los fundamentos bíblicos y teológicos de la fe: es necesario suscitar un nuevo y grande <anhelo de santidad>" (*Redemptoris Missio* n. 90, 1990). Como lo atestigua el libro **"En los Brazos de María"**, es nuestra vida de oración lo que renueva y fortalece este deseo, en medio de las muchas distracciones y preocupaciones de la vida contemporánea. Es el desarrollo de nuestra vida interior lo que permite a cada uno poner su atención más clara y decididamente en el llamamiento universal de Dios a la santidad -una santidad que actúa como la principal motivación y fuerza detrás de la Nueva Evangelización.

Las gracias que Dios nos concede en nuestro Bautismo, nos inspiran constantemente a crecer en la fe, la esperanza y el amor a ambos: a Cristo y a nuestro prójimo. Sin embargo, dada nuestra debilidad, rápidamente encontramos resistencia en nuestro viaje espiritual hacia la unión con Dios. Es entonces cuando se nos requiere vivamente a que acudamos a Dios con humildad, con una siempre más profunda confianza de que el Señor nos llama hacia Él a través de nuestra santificación, a pesar del hecho de que a veces titubeamos o estamos inciertos de Su perfecta voluntad. Sólo cuando respondemos al llamamiento de Dios a la santidad, por medio de una oración personal e intensa, nuestros esfuerzos para vencer al "mal con bien", darán frutos. Como Jesús mismo nos recuerda: "separados de mí no podéis hacer nada" (Jn. 15,4).

Yo creo que **"En los Brazos de María"** provee al lector con muchas profundas y restauradoras reflexiones, basadas en las Sagradas Escrituras, de cómo profundizar en la propia vida interior y de oración. Es un fiel compañero de *"Meditaciones Sobre la Fe"* el tan aclamado tratado de espiritualidad del P. Tadeusz Dajczer. Sin duda, el autor, Slawomir Biela, nos recuerda que nuestro más profundo anhelo por los preciosos regalos Divinos, del amor incondicional y la seguridad interior, no se puede colmar a menos que continuamente renovemos nuestros esfuerzos de descubrir la verdad espiritual de nosotros mismos a través de la oración. Pero, más importante aún, es el que Dios nos llama a reconocer quiénes somos en realidad -para gradualmente darnos cuenta de los variados mecanismos de defensa y pretensiones sobre nuestro viejo yo- sin temer Su rechazo o Su juicio, madurando así en nosotros la conciencia de que el Amor Divino, el Amor Misericordioso de Dios, lo supera todo.

Cara a los retos que nuestro tiempo presenta a la santidad, tanto para los individuos como para la Iglesia en general, Biela se adhiere a la constante enseñanza del Santo Padre al enfatizar el papel de nuestra Santísima Madre como nuestra fuente de esperanza. A través de imitar su humilde, sin embargo glorioso ejemplo, se nos da una verdadera esperanza conforme luchamos por avanzar en nuestro camino a la santidad. El autor también nos recuerda, con los ejemplos del Hijo Pródigo y la Mujer Cananea, que tal esperanza se fundamenta en la humildad y la confianza, donde el reconocimiento de la propia pequeñez e impotencia delante de Dios, atrae la efusión de Su redentora misericordia. En este sentido, el impulso de las enseñanzas de este libro traen a la mente aquellas de Su Santidad el Papa Juan Pablo II en "La Reconciliación y La Penitencia": "es bueno recordar y destacar que *contrición* y *conversión* son aún más un acercamiento a la santidad de Dios, un nuevo encuentro de la propia verdad interior, turbada y trastornada por el pecado, una liberación en lo más profundo de sí mismo y, con ello, una recuperación de la alegría perdida, la alegría de ser salvados" (*La Reconciliación y La Penitencia*, n. 31, III, 1984). Me alegra poder usar esta oportunidad para apoyar el apostolado del Movimiento de las Familias de Nazaret, fundada por el R.P. Tadeusz Dajczer, autor del libro *"Meditaciones Sobre la Fe"*. Esta obra, la cual ha sido ya *traducida a 46 lenguas,* así como los otros libros, que se enfocan con el mismo impulso del total auto-abandono en humildad y confianza a Dios y Su misericordia, continuarán alimentando a los más de trescientos mil miembros del Movimiento de las Familias de Nazaret alrededor del mundo, y a las muchísimas otras almas en búsqueda de la seguridad del amor incondicional de Dios y de Su presencia en sus vidas. También me complace confirmar mi apoyo a los grupos del Movimiento, que vigorosamente se expanden aquí en los Estados Unidos de Norteamérica, donde el número de miembros ya es mayor a tres mil y continúa incrementándose rápidamente a lo largo de todo el país.

Me conmueve, en esta obra, la apertura y el ardor con que el autor comparte con el lector, sus convicciones interiores y reflexiones sobre el sorprendente amor de Dios, y, de modo especial, sus reflexiones sobre la forma en que Nuestra Santísima Madre, vive tan plenamente una vida de total confianza. Este pequeño volumen revela la fidelidad de Biela al lema "Totus Tuus María", tanto como ha sido manifestado tan bellamente en la vida de Juan Pablo II. **"En los Brazos de María"** es el fruto de la amorosa relación del autor con el Señor, quien nos dio a María, Su Madre, para ser nuestra Madre. En los amorosos brazos de María y a través de su humilde ejemplo, "nosotros también podemos volvernos santos, que nunca envejecen o pasan de moda. Todo lo contrario, los santos se mantienen como los testigos de la juventud de la Iglesia por siempre" (Homilía de Juan Pablo II en Lisieux, Junio 2 de 1980).

Cardenal Teodoro McCarrick
Arzobispo de Washington

Prólogo a la edición catalana del Cardenal Ricard María Carles Gordó Arzobispo de Barcelona

El lector o lectora tiene en sus manos un libro profundo de espiritualidad, de la más genuina espiritualidad cristiana, porque refleja muy bien las líneas magistrales de las grandes doctoras y doctores de la Iglesia, como santa Teresa de Jesús, san Juan de la Cruz y santa Teresa del Niño Jesús, maestros todos ellos en extraer del evangelio los rasgos de una auténtica espiritualidad cristiana.

A la vez, el autor de este libro de espiritualidad es un laico. Slawomir Biela nació en Polonia en el año 1956. Es doctor en Física del estado sólido por la Universidad Tecnológica de Varsovia. Y resulta sorprendente y esperanzador que un científico de nuestro tiempo como lo es él haya realizado -y con tanto fruto- estudios en la especialidad de la Teología de la vida espiritual en la Facultad Pontificia de Teología de la misma ciudad de Varsovia.

Desde 1977, este autor colabora también con el profesor Tadeusz Dajczer, fundador del Movimiento de las Familias de Nazaret, en la elaboración de los fundamentos de la espiritualidad de este movimiento de ámbito mundial. Las publicaciones del movimiento ya han sido traducidas a diversos idiomas, entre ellas al castellano -con esta obra- y al catalán (con el título *En els braços de Maria*).

El libro *En los Brazos de María* es fruto de la profundización que el autor ha hecho del misterio cristiano. Se plantea las diversas etapas de la vida interior, razón por la cual resulta accesible tanto para quienes son principiantes como para aquellos que avanzan ya más profundamente en el camino de la «unión transformante», de la que nos habla san Juan de la Cruz en sus escritos.

Este libro sigue la misma línea de espiritualidad que se halla en la obra mundialmente conocida *Meditaciones Sobre la Fe*, de la que es autor el profesor Tadeusz Dajczer, obra que ha sido traducida a más de cincuenta idiomas. Esta obra fue puesta al alcance de los lectores catalanes por Publicacions de l'Abadia de Montserrat, que también ha publicado la versión en catalán del libro que ahora aparece en castellano, con una carta introductoria de mi querido hermano en el episcopado, monseñor César A. Franco, obispo auxiliar de Madrid.

En virtud del bautismo, de la confirmación y de la vocación cristiana, en la Iglesia y en el mundo, los laicos están también llamados a vivir con profundidad los caminos de la espiritualidad cristiana y en este sentido su testimonio, su vivencia y –¿por qué no?- también su enseñanza pueden enriquecernos y estimularnos a todos, incluso a aquellas y aquellos que hemos seguido el camino de una radical consagración a Dios en el sacerdocio ministerial o en la vida religiosa.

Todos recordamos la fuerte influencia que tuvo en la vida del Santo Padre Juan Pablo II, en su juventud, el magisterio y el testimonio de un místico laico, sastre de oficio, Jan Tyranowski, que lo introdujo en el misticismo carmelitano y en los grupos juveniles del Rosario Viviente, donde nació su vocación sacerdotal. El recuerdo del llamado «sastre místico» me ha venido a la mente al leer las lecciones de este «físico místico». Quiera Dios que conduzca a muchos por los caminos de aquella espiritualidad profunda que es la única que puede dar respuestas al hambre espiritual de muchos hombres y mujeres de nuestro tiempo.

Cardenal Ricard María Carles Gordó
Arzobispo de Barcelona

Prólogo a la edición filipina del Cardenal Jaime L. Sin Arzobispo de Manila

En medio de la confusión del mundo de hoy, vemos almas deseosas de servir a Dios. Son tantas las personas que se preguntan qué más pueden hacer para ofrecerse a Dios y a los demás. Sin embargo, tampoco podemos negar que la sola buena voluntad no es suficiente. Debemos desear no solamente servir a Dios sino servirlo en la forma en que Él quiere ser servido. Para que esto suceda, nuestra mayor pasión debería ser crecer constantemente en nuestra vida interior.

¿Por qué es importante la oración? Podemos contestar esta pregunta a través de analizar las funciones de la oración: adoración, contrición, gratitud y petición. Esto es lo que sucede en nosotros al orar. ¿Y qué es lo que sucede si no oramos? Entonces no adoramos a Dios, no tenemos contrición a causa de nuestros pecados, no agradecemos al Señor por sus numerosas bendiciones ni tampoco le pedimos que nos conduzca y nos de la fuerza para llevar a cabo la misión de nuestra vida. En este caso, nada hacemos para la obra de Dios, más bien ¡creamos nuestra propia obra! Imagínense, si ni siquiera le preguntamos a Dios cuál es su voluntad, ¿cómo podemos realizarla?

Es en este contexto que podemos apreciar verdaderamente el libro de Slawomir Biela "En los Brazos de María". A través de entregarnos por completo al amor de Dios podemos ser fortalecidos a través de una vida de oración, no solamente en el deseo de servir a Dios sino sobre todo, en el auténtico servicio a Él, en la forma en la que Él lo quiere. Sin oración, nos sometemos a nuestros propios gustos, prejuicios, opiniones y caprichos. Comenzamos a concentrarnos en nuestras propias capacidades e inteligencia, prácticamente como los seguidores de la Nueva Era, quienes promueven la "espiritualidad concentrada en el yo", en vez de enfocarse en la providencia amorosa de Dios.

Dirijámonos a nuestra Santísima Madre, tal como el autor nos exhorta. María es para nosotros modelo de entrega total a la voluntad de Dios, la cual se encuentra reflejada en su santa vida, en su fe, en su servicio y en su humildad. La verdadera entrega a nuestra Amadísima Madre no puede más que conducirnos infaliblemente a su Hijo Jesucristo. Así que, entreguémonos totalmente en la oración tal como Ella, para que podamos ser un reflejo vivo del Amor Divino en la vida cotidiana.

Cardenal Jaime L. Sin, DD
Arzobispo de Manila

Prólogo a la edición lituana del Cardenal Audrys Juozas Bačkis Arzobispo Metropolitano de Vilna

"Padre... danos hoy nuestro pan de cada día" (cf. Lc. 11,2-3), esta es la oración cotidiana del cristiano. Alimento para fortalecer el cuerpo, alimento para el crecimiento del espíritu – ambas necesidades sacian su sed en la inagotable fuente del amor de Dios.

Las briznas de Evangelio, diseminadas por el libro de Slawomir Biela "En los Brazos de María" son transformadas en un vivificante programa para familias, para personas que buscan alimento espiritual. La palabra de Dios es fuerte y actual para todas las generaciones, para el hombre de cualquier vocación, que con humilde amor la acepta en su corazón.

El pan es el alimento de los pobres. Sólo los pobres saben valorar el pan y se alegran con él. El crecimiento de la vida espiritual comienza con la verdad sobre nosotros mismos. ¡Se necesita un gran coraje! Sólo aquél que es capaz de decir con todo el corazón: "Oh Dios, ten compasión de mí que soy pecador" (cf. Lc. 18,9-14), sabe aceptar el don de Dios – el pan cotidiano del amor.

Deseo de todo corazón que este alimento

espiritual forme a hombres y mujeres de nuestra nación virtuosos y santos, que quieran y sean capaces de compartir este pan en sus familias, en la Patria y en el mundo entero.

Que la Virgen de la Misericordia os conduzca a todos por este santo viaje, y que os de coraje para aceptar la propia debilidad, y también para confiar totalmente en la gracia de Dios.

Cardenal Audrys Juozas Bačkis
Arzobispo Metropolitano de Vilna

LA NUEVA EVANGELIZACIÓN: REALIZACIÓN DE LA LLAMADA UNIVERSAL A LA SANTIDAD

En su obra titulada "De civitate Dei"[1], San Agustín dice que en la tierra existen, y existirán hasta el fin del mundo, dos grandes reinos. La frontera entre ellos no divide a los hombres, ni tampoco a las sociedades, sino que se encuentra en el interior de cada alma humana. Dos amores crean estos dos reinos: el amor propio llevado hasta el desprecio de Dios ("Amor sui usque ad contemptum Dei"), y el amor de Dios llevado hasta el desprecio de uno mismo ("Amor Dei usque ad contemptum sui"). En el transcurso de la historia, van extendiendo poco a poco sus territorios, uno a costa del otro. El objetivo de la historia de la humanidad, así como el de la vida de cada persona es precisamente la construcción del Reino de Dios, es decir, hacer que Cristo crezca dentro de cada uno de nosotros. La aceptación o rechazo de Cristo define la historia individual de cada alma humana. La llamada de Juan Pablo II a la Nueva Evangelización parece situarse precisamente en este contexto.

Cristo nos da a su Madre *como modelo y ayuda especial para la construcción del Reino y para la continuación de la obra de la evangelización del mundo. María, que nos da el testimonio más auténtico de vida*

---

1. "La Ciudad de Dios", XIV, 28

de fe, esperanza y amor, nos llama a la conversión y a la santidad. La improvisación y la transigencia no transformarán el mundo, que en el proceso de secularización se ha apartado demasiado de los ideales del Evangelio. La obra de la Nueva Evangelización exige nuestra entrega total a Cristo, a imitación de María. El desafío de nuestro tiempo y el de la situación actual de la Iglesia, precisan el **radicalismo de la fe.** *LA NUEVA EVANGELIZACIÓN EXIGE SER PROCLAMADA Y QUE LOS QUE LA PROCLAMEN SE ENCAMINEN DE MANERA AUTÉNTICA A LA SANTIDAD.* Como sugiere Karl Rahner, el cristiano del siglo XXI será místico o no será cristiano. "No basta con renovar los métodos pastorales − escribe Juan Pablo II − ni organizar y coordinar mejor las fuerzas eclesiales, ni explorar con mayor agudeza los fundamentos bíblicos y teológicos de la fe: es necesario suscitar un nuevo "anhelo de santidad"[2]. El Concilio Vaticano II nos recuerda que el radicalismo de la fe no es posible sin el radicalismo de nuestra conversión y sin la realización de la llamada universal a la santidad. De otro modo jamás llegaremos a ser testigos auténticos del Evangelio. "La santidad es un presupuesto fundamental y una condición insustituible para realizar la misión salvífica de la Iglesia"[3]. La **Iglesia** siempre, pero sobre todo en la actualidad, **necesita santos** que, según las palabras de Juan Pablo II, jamás envejecen ni se "devalúan", y permanecen siempre como testigos de la juventud de la Iglesia[4].

---

2. Redemptoris Missio, 90
3. Christifidelis Laici, 17
4. Cf. Juan Pablo II; Homilía en Lisieux 2/6/1980. Esta urgencia de la santidad, constituye el centro del camino pastoral de la glesia que Juan Pablo II propone en su Carta Apostólica "Novo Millenio Ineunte", especialmente en su cap.3

Algo fundamental para la Nueva Evangelización, y que debería ser nuestra respuesta a la llamada universal a la santidad, es nuestra oración. La eficacia de la evangelización depende de que la oración sea una expresión auténtica de fe y amor a Dios. La oración se convierte en fermento del apostolado, cuando "es testimonio de la amistad íntima con Dios y en ella se perfecciona, de manera que sea un encuentro y unión de amor, en el que la criatura confía totalmente su voluntad al Amigo Divino"[5].

*El hecho de acentuar el valor de la oración no significa quietismo, porque el amor siempre requiere del testimonio de las obras. Sin embargo, lo importante es aquello que fundamenta nuestra actividad. La confianza en nuestras propias fuerzas imposibilita la realización de la vocación universal a la santidad. Es indispensable buscar la voluntad de Dios con **espíritu de humildad evangélica.** Sólo quien vive con este espíritu, no espera reconocimiento humano ni frutos visibles, no pregunta en qué etapa del camino hacia Dios se encuentra, sino que acepta permanecer en la oscuridad y en la incapacidad para comprender las experiencias que vive. Ese hombre es como un niño que, en medio de la oscuridad de la noche, se agarra con fuerza a la mano de su padre. Entonces, empieza a vivir la profundidad de la fe, abandonándose en todo a su Padre Celestial.*

Para guardar el equilibrio adecuado entre la acción y el abandono a Dios en la oración, que son los dos polos que enmarcan nuestro camino hacia Dios, debemos poner tanto empeño en nuestra actividad como si todo dependiera de nosotros, pero, al mismo tiempo, tener tanta confianza como si todo dependiera de Dios.

---

5. Juan Pablo II; "Virtutis exemplum et magistra"

No obstante, de acuerdo con la economía divina, que es la economía de la gracia y de la misericordia, nuestra actuación debe brotar, sobre todo, de una disposición interior del corazón. Esta disposición debe ser la fuente de nuestro empeño en la obra de la Nueva Evangelización. Porque la **santidad** – como diría santa Teresita – no **se expresa plenamente** ni en la acción, ni en las prácticas concretas, sino **en una disposición del corazón** que nos hace **pequeños y humildes en los brazos del Padre,** conscientes de nuestra propia debilidad e impotencia, **confiados hasta la locura en su amor paternal.**[6]

La Nueva Evangelización se realiza en una situación extremadamente difícil, puesto que se dirige a un mundo profundamente herido por la corrupción de los valores humanos y cristianos. Lo importante es, por tanto, recordar al hombre contemporáneo, incapaz de negarse a sí mismo y de apartarse de su propio egoísmo, el **ideal de la infancia evangélica.** Ir descubriendo que nos faltan las fuerzas necesarias para llevar una vida ascética, puede conducirnos a la actitud de humildad y confianza del niño, que atrae el poder del Reino de la gracia. Hay que ser pequeño como un niño para atraer el poder del Amor de Dios que se derrama sobre el mundo, y así ser llenado por él. La infancia espiritual, que se expresa en el reconocimiento del abismo de la propia pequeñez y debilidad, llama y atrae a otro abismo, el de la Misericordia "Abyssus abyssum invocat" (Sal 42, 8).

Para que la Nueva Evangelización proclame con **un nuevo ardor** el Evangelio al hombre contemporáneo, debe estar vinculada a nuestra entrada en el cami-

---

6. cf. Santa Teresita del Niño Jesús, *Obras Completas, Novissima Verba,* 3 de Agosto, Ed. Casulleras, Barcelona 1963, p. 434.

no de las **Bienaventuranzas de Cristo**, que constitu-
yen la esencia misma del Evangelio. Su expresión más
plena es la primera de ellas: "Bienaventurados los pobres de espíritu..."(Mt 5,3)[7]. El desprecio agustino del
propio egoísmo ("contemptus sui") es una forma de
pobreza de espíritu que prepara el lugar para el Reino
del amor y de la gracia, un espacio para el amor de
Dios. El Reino de los Cielos fue prometido precisamente
a los pobres de espíritu, que ya no tienen nada y esperan a Dios mismo.

La economía de la gracia, según enseña el Concilio de Trento, se realiza a través de la justicia ("per
iustitiam") y a través de la misericordia ("per
misericordiam"). Muy a menudo nuestra relación con
Dios queda reducida al plano de la justicia: yo te doy,
para que Tú me des ("do ut des"). Esto nace del convencimiento de que el hombre debe merecer el amor de
Dios, de que Dios nos concede sus dones dependiendo
de la medida de la generosidad con la que le demos, de
nuestro trabajo y sufrimiento por Él. En el programa de
la Nueva Evangelización, según el mensaje de santa
Faustina Kowalska, parece necesario centrar nuestra atención especialmente en "la **espiritualidad de la misericordia**".

El hombre contemporáneo que tanto experimenta
su propia debilidad, que sufre y percibe con cuánta frecuencia sus esfuerzos no dan frutos, tiene una oportunidad: descubrir la necesidad existencial de abandonar-
se confiadamente al amor del Buen Pastor, a semejanza
de la **oveja desvalida**. El cristiano debe ser profundamente consciente de que la santidad no se puede con-

---

7. Todas las citas bíblicas están sacadas de la Nueva Biblia de
Jerusalén, Desclée de Brouwer, Bilbao 1998

quistar, solamente puede recibirse como un don de Jesús si se aspira verdaderamente a ella. No somos nosotros quienes damos algo a Dios, es Dios quien nos lo da todo. Al final, cada uno de nosotros, en el ocaso de su vida, se presentará ante Dios con las **manos vacías**. Entonces, el mismo Jesús saldrá con las manos llenas al encuentro del hombre que se fatiga por Dios, pero que permanece ante Él con las manos vacías.

Dios desea que le dejemos manifestarnos su amor, y que, en respuesta a este amor, **permitamos que Él mismo actúe en nosotros**.

Nuestra pecaminosidad no elimina su actuación en nosotros. Porque al experimentar la confusión interior causada por el pecado podemos abrirnos a las palabras de nuestro Redentor dirigidas desde la Cruz a san Juan, el discípulo amado, que experimentó también la debilidad y el pecado, y en él a cada uno de nosotros: "Ahí tienes a tu madre" (Jn 19,27). Y así como Juan, entregado entonces a la Virgen, "la acogió en su casa", también nosotros podemos descubrir en estas palabras una invitación de Dios a abandonarnos en María, para que Aquella que formó el rostro humano de Jesús, pueda formar este mismo rostro también en nosotros. De esta forma, al introducirnos en la **comunión de vida con María**, abandonándonos confiadamente a Ella, iremos entrando en el camino de la unión cada vez más plena con Jesús, en el camino de la santidad.

El libro "En los Brazos de María" es una llamada ardiente a seguir a Cristo hasta el extremo, porque el mundo, para descubrir de nuevo el Evangelio, sobre todo, necesita santos.

P.Tadeusz Dajczer

Parte I

Los caminos donde Dios nos espera

"*Cuando por primera vez pude llegar a los apartamentos (del Vaticano) que antes no se podían visitar, donde –según se decía– los Papas vivieron en una soledad espantosa, estaba tan conmovido que casi no vi el techo hecho de emplomado, ni el Via Crucis sobre la pared, ni el icono de la Virgen de Czestochowa encima del altar, que estaban en la capilla; el Papa arrodillado me parecía inmenso. La capa sobre sus anchos hombros me traía a la mente la imagen de las nieves perpetuas, y yo no lograba comprender cómo cabía una montaña tan grande en un espacio tan austero (después del atentado del 13 de mayo la nieve se diluiría y se haría visible la roca). Tenía delante de mí todo un cúmulo de oración. Después de la Misa celebrada con un gran cuidado, y con aquella lentitud aparente con la que giran las estrellas, veinte minutos fueron dedicados a lo que ya se ha dejado de practicar propiamente por todas partes: a la acción de gracias, durante la cual Juan Pablo II estuvo arrodillado en un reclinatorio con el soporte ancho del tamaño de un pupitre. El Santo Padre estaba orando – uno querría decir – así como respira, y no obstante actuaba* (A.Frossard, "Conversaciones con Juan Pablo II")*.

"La oración es una búsqueda de Dios, pero también es *revelación* de Dios. A través de ella Dios se revela (...) *en primer lugar como Misericordia*, es decir, como Amor que va al encuentro del hombre que sufre. Amor que sostiene, que levanta, que invita a la confianza. La victoria del bien en el mundo está unida de modo orgánico a esta verdad: un hombre que reza profesa esta verdad y, en cierto sentido, hace presente a Dios que es *Amor misericordioso* en medio del mundo" (Juan Pablo II, "Cruzando el Umbral de la Esperanza", Ed. Plaza-Janés, Barcelona 1994, p.46 – 'La Oración del Vicario de Cristo').

1. ORAR CON LA ACTITUD DEL PUBLICANO

Entre las diferentes formas de encuentro del hombre con Dios la oración ocupa un lugar especial. En la oración, al elevar nuestro pensamiento hacia el Creador, escuchamos su voz y buscamos su voluntad.

¿Acaso no desaprovechamos demasiado esta posibilidad extraordinaria de tener un contacto tan íntimo con Dios? Él desea que toda nuestra vida se convierta en oración, que se transforme en una vida en su presencia, en una vida para Él.

¿Tratas de dejar cada día tus ocupaciones durante un tiempo, para ponerte ante Dios en el silencio de tu corazón, lejos del ruido y del ajetreo cotidiano?

Para entrar en este silencio y permanecer en él más tiempo, trata de caer en la cuenta de que:

En este momento estamos juntos, mi Dios y yo.

Aquí estoy yo, pecador, en presencia de mi Dios, que me ama.

"Justo", aunque no justificado

"A algunos que se tenían por justos y despreciaban a los demás les dijo esta parábola: «Dos hombres subieron al templo a orar; uno fariseo, otro publicano. El fariseo, de pie, oraba en su interior de esta manera: '¡Oh Dios! Te doy gracias porque no soy como los demás hombres, rapaces, injustos, adúlteros, ni tampoco como este publicano. Ayuno dos veces por semana, doy el diezmo de todas mis ganancias.' En cambio el publicano, manteniéndose a distancia, no se atrevía ni a alzar los ojos al cielo, sino que se golpeaba el pecho, diciendo: '¡Oh Dios! ¡Ten compasión de mí, que soy pecador!' Os digo que éste bajó a su casa justificado y aquél no. Porque todo el que se ensalce será humillado; y el que se humille, será ensalzado.»" (Lc 18,9-14).

¿A quién se dirige esta parábola? San Lucas lo dice claramente: "a algunos que se tenían por justos y despreciaban a los demás".

A estos "justos" Jesús les dice
que a los ojos de Dios están en una situación ¡mucho peor que la de los grandes pecadores!

Ante Dios, lo **único** que nos justifica es
el reconocimiento de la verdad
sobre uno mismo.

Y eso significa:
el reconocimiento de la propia nada,
unido a la confianza en la misericordia de Dios.

¿No es sorprendente? ¿Por qué Dios justifica tan fácilmente al publicano, que personifica la pecaminosidad? ¿Por qué el fariseo "justo" no sale justificado?, ¿por qué será humillado, como Jesús advierte? ¿Acaso es malo que alguien no sea ladrón, injusto, adúltero; no cometer pecados mortales como los que pesaban sobre los publicanos? ¿Acaso es malo ayunar y dar el diezmo de todas las ganancias? ¿Por qué el fariseo no salió justificado?

¿Qué le hizo estar tan cerrado a la misericordia de Dios?

Jesús con esta parábola nos enseña que ni siquiera los pecados más graves nos cierran tanto a Dios como **permanecer en la hipocresía**:

no reconocer la propia nada,
vanagloriarse de lo que hemos recibido
como don de Dios
y considerarnos mejores que los demás por ese don.

Mientras que sale justificado el que confiesa a Dios
sus pecados,
tanto los cometidos "de pensamiento, palabra, obra y omisión",
como aquellos de los que Dios nos preserva; aquél que haciendo un acto de contrición
y de fe en la misericordia de Dios, suplica:

¡Oh Dios, ten compasión de mí, que soy un pecador!

La gente con frecuencia considera justo al que es fariseo, y hasta él mismo se lo cree. Sin embargo, únicamente sobre él pesa la advertencia de Cristo de que "será humillado".

Si te atribuyes el bien con el que Dios te obsequia, puedes ser despojado de él.

Ladrón de la gloria de Dios

El fariseo no era ladrón, injusto, adúltero... Verdaderamente, esto exigía su cooperación con la gracia de Dios. Sin embargo, gloriarse de ello y considerarse superior a los demás constituía una ofensa a Dios.

Este hombre robó a Dios la gloria que sólo le corresponde a Él, para construir su propia gloria. Se envaneció y se enorgulleció ante Dios por algo que no le pertenecía. Además, también despreciaba a los demás por causa de esas gracias de Dios. No se puso ante Dios en la verdad ni reconoció su propia nada. No reconoció que **si Dios no le preservara**, podría cometer todos los pecados posibles. Ni siquiera reconoció los pecados que había cometido: no vio sus propios pecados de omisión, los pecados de desperdicio y abuso de las gracias de Dios. Se atribuía a sí mismo todo lo bueno que había en su vida.

Fue **injusto** con Dios y con aquellos a quienes despreciaba: con aquellos "ladrones, injustos, adúlteros...".

¿Acaso merecía ser justificado a los ojos de Cristo?

Así nos sucede también,
cuando ante Dios reconocemos
sólo un par de pecados leves,
pero todo el abismo de nuestra pecaminosidad

lo **omitimos con nuestro silencio**:
callamos los pecados de omisión,
los pecados de las gracias desperdiciadas,

los pecados de los que Dios
continuamente nos preserva.
Dios desea justificarnos,
pero no llamará justo a quien no quiera
reconocer
su propia nada
y se apropie de los dones de Dios.

Eres sólo un recipiente

Cuando te pongas en presencia de Dios, confía en su Misericordia
y reconoce la verdad sobre tí mismo,
como hizo el publicano.
Entonces, Dios pondrá sus ojos en tu miseria
y tendrá piedad de su criatura:
la transformará,
la santificará,
la llenará de sí mismo.
Si quieres imitar la actitud de María y ser
como Ella, un recipiente lleno de Dios, debes ser
pobre de espíritu.
Un recipiente es sólo un recipiente y siempre lo será. No puede olvidar esto ni siquiera
cuando está lleno de Dios mismo. El material del
recipiente de nuestra alma, permanecerá siempre
aquí en la tierra, tal como el publicano lo definió:
"¡Oh Dios, ten compasión de mí, que soy pecador!" (Lc 18,13).
Fuimos pecadores,
lo somos
y lo seremos hasta el final de nuestra vida

en la tierra.
"Si decimos: «No tenemos pecado», nos engaña-mos y la verdad no está en nosotros" (1Jn 1,8). Incluso si no cometemos pecados, mientras vivamos tenemos continuamente la capacidad potencial de pecar. Incluso si alguien vive plenamente las enseñanzas de Jesús, sigue siendo sólo un recipiente, "para que aparezca que una fuerza tan extraordinaria es de Dios y no de nosotros" (2Cor 4,7).

Orar como el publicano

Sería bueno que empezaras cada día con la oración del publicano. Aunque sólo sea durante un par de minutos, olvídate de que tienes pies y dobla tus rodillas ante Dios. Así no podrás trajinar desde el amanecer; tus rodillas te recordarán la oración y la actitud del publicano.

En el silencio de tu corazón, lleno de confianza, trata de

ponerte ante Dios
y de reconocer tu pecaminosidad,
tal y como Él te la permita percibir,
tal vez en relación con algún pecado
que recuerdes,
tal vez en relación con las tentaciones que
te atormentan.
Partiendo de aquí,
procura ir añadiendo lo que falta...
Cuando tomes conciencia de algún pecado,
reconoce ante Dios:

16

Señor, soy capaz de cometer cualquier otro,
si Tú no me preservas...
Quizá sea más fácil para ti reconocer tu pecaminosidad
si recuerdas los siete pecados capitales
y los Diez Mandamientos.
Así, orando con la oración del publicano, conocerás cómo es este recipiente del que Dios hizo su templo.

La oración del publicano despertará en ti la **gratitud**, porque Él llena con su misma presencia un recipiente tan miserable. Con frecuencia repetirás las palabras: *Señor, no comprendo tu amor. No comprendo que quieras permanecer en un recipiente tan miserable ni que vengas a alguien tan pecador; ¡Gracias, Señor!*

Procura, con la mayor frecuencia posible, ponerte ante Dios
con la actitud del publicano;
sobre todo durante la Santa Misa
y la comunión.
Pues, si participaras en la Eucaristía y recibieras el Cuerpo del Señor con la actitud hipócrita del fariseo, ofenderías a Dios de forma particular.

Ni siquiera la Sagrada Eucaristía por su poder milagroso podría transformar al fariseo, por su orgullo, a menos que éste recibiera una gracia eficaz.[1]

También debes orar a lo largo del día con la oración del publicano en forma de jaculatorias. Procura al menos orar un momento diciendo:
Yo sólo tengo pecados

*pero **Tú**, Señor, me amas...*
–gracias.

Los "besos" del sufrimiento

La manera con que Dios nos expresa su amor
puede ser totalmente incomprensible para nosotros.
Porque Dios, a veces, nos expresa su amor
con el "beso" del **sufrimiento,**
mostrándonos de esta forma una confianza especial
y asociándonos al misterio de su pasión salvífica.
Expresión de su amor pueden ser las **humi-
llaciones** dolorosas,
la soledad,
las acusaciones.
También pueden serlo las **oscuridades de la fe:**
cuando comienzas a experimentar la sequedad interior
y no eres capaz de suscitar en ti ningún sentimiento positivo,
ni siquiera en la oración.
Otras veces, a pesar de tus esfuerzos, no eres
capaz de ser bueno,
y tienes la impresión de que, en lugar de
vivir cada vez mejor

---

[1] Los términos "gracia eficaz" y "gracia suficiente" están particularmene relacionados con el período de la discusión teológica sobre la eficacia de la gracia, a finales del s. XVI y en el s. XVIII. Sin entrar en los detalles de estas discusiones teológicas, puede decirse que por gracia suficiente (*gratia sufficiens*) entendemos la gracia suficiente para salvarse, o una gracia especial de Dios que no es realizada como consecuencia de la falta de cooperación con esa gracia. En cambio gracia eficaz (*gratia efficax*) se le llama a la gracia que alcanza el efecto querido por Dios, gracias a que el hombre cooperó adecuadamente con ella.

las enseñanzas de Jesús,
eres en realidad una caricatura de cristiano.

Tal vez esto te duela, pero, precisamente gracias a ello, descubres más fácilmente la verdad sobre ti mismo y **experimentas** que eres un pecador. Esto formará en ti la actitud del publicano. Estas experiencias difíciles, y muchas veces incomprensibles, pueden provocar que protestes, e incluso que te rebeles. Será tu "yo" el que se rebelará; no te sorprendas de ello, porque eso también es parte de la verdad sobre ti; más bien, sorpréndete si no lo haces. Di entonces: *Dios me dio la gracia de no rebelarme.*
Sí, esa es una gran gracia, inmerecida.

El fariseo enmascarado

Sucede, sin embargo, que nos apropiamos de esta gracia y comenzamos a juzgar y a enseñar a otros "rebeldes". Entonces, aparece en nosotros el fariseo enmascarado, que bajo la apariencia de una falsa humildad y del buen cumplimiento de las prácticas religiosas, esconde hábilmente su verdadero rostro.

Quizás hasta alguien te alabe e incluso quiera tomarte como ejemplo, pero tú todo el tiempo serás fariseo.

Sólo descubrirás esto cuando comiences a orar como el publicano. Cuando esto suceda no tengas miedo de ver el abismo de tu miseria ni huyas de él. Esta es la verdad objetiva sobre ti mismo.

Si quisieras vivir de estas falsas ilusiones, seguirías siendo fariseo durante el resto de tu vida.

Deberíamos comenzar nuestro día orando como el publicano, y sería bueno que esta oración nos acompañara en todo momento, porque al entrar en el torbellino de los acontecimientos, nos olvidamos muy fácilmente de la actitud del publicano. Entonces, se despierta en nosotros la seguridad en uno mismo, llena de orgullo, y comenzamos a ponernos cada vez más máscaras:

una en el trabajo, con nuestros compañeros;
otra en casa, con la familia;
...otra más en el confesionario, con el sacerdote.

A veces, durante la confesión, intentamos quitarnos alguna máscara, y de vez en cuando lo logramos, pero sólo en parte. De esta manera luchamos interiormente contra nosotros mismos, aunque el confesor trate de ayudarnos, no lo puede hacer en nuestro lugar, no es él quien se tiene que confesar, sino el penitente. Él tiene que respetar nuestra libertad. La lucha interior por quitarnos las máscaras puede ser una prueba extraordinariamente difícil. Algunos fracasan muchas veces. Sin embargo, algún día, si se abren con confianza a la misericordia de Dios, descubrirán la verdad sobre sí mismos y con toda apertura, ya sin respetos humanos, confesarán su pecaminosidad.

El sacramento de la reconciliación será entonces para ellos realmente un toque de Dios.

No tengas miedo a la confesión.

Recuerda que **la mejor confesión es aquella en la que revelas confiadamente** el abismo[2] de tu miseria.

No tengas miedo, el sacerdote no huirá
espantado al ver tus pecados,
y aunque lo hiciera, Dios no dejaría de amarte.
No debes tener miedo de Dios, porque Él de
todas maneras sabe
lo que se oculta en tu interior.
Lo único importante es que quieras ser como
el publicano:
Que confiando en la misericordia de Dios,
quieras conocer
qué clase de recipiente eres.

Dos abismos

¿Quieres conocer cada vez más profundamente
la medida de tu mal, y al mismo tiempo la medida del amor de Dios? ¿Deseas que tu oración
sea cada vez más parecida a la del publicano del
Evangelio? Entonces, es necesario que a menudo
te pongas ante la cruz.
Viendo a Cristo clavado en la cruz
comprenderás más fácilmente
el abismo[3] de mal que es tu pecado.

---

[2] El abismo es un símbolo que representa una realidad in-
mensurable, que no tiene límites. Por ejemplo, el abismo de
la pecaminosidad expresa que el conocimiento de la misma au-
menta conforme se profundiza la unión con Dios. En este caso
concreto se habla del abismo de la miseria espiritual, abierto al
Amor Redentor de Jesús, es decir, la miseria del hombre llena de
contrición ante la Cruz.

[3] Ibidem.

El sufrimiento de Cristo refleja ese abismo
de la manera más plena.

Poniéndote al pie de la cruz y adorando a Aquél,
que cargó con todos tus pecados,
irás conociendo cada vez más plenamente los
dos abismos:
el abismo de tu pecado
y el abismo del amor de Dios por ti.
Tu actitud ante Dios se parecerá cada vez
más a la del publicano en la medida en que con
mayor frecuencia te pongas ante la cruz.
Porque la oración al pie de la cruz
hace que profundicemos,
tanto en la visión de la propia pecaminosidad
como en la confianza en el amor de Dios.
En virtud del Sacrificio Redentor de Cristo tu mal
quedó definitivamente vencido y borrado.
Fuiste completamente redimido
gracias al poder de Aquél, que te ama sin límites.
Al adorar la cruz recibirás una conciencia cada
vez más clara de esto.
Puedes orar de esta manera,
también ante el Santísimo Sacramento.
En la Eucaristía, en la Hostia que adoras
está oculto Cristo glorioso.
Él fue crucificado, murió y resucitó
para mostrarte su amor,
amor hasta la cruz
y hasta su presencia en un pedacito de pan.

La oración del publicano: difícil y árida

La oración del pobre de espíritu cambia en la medida en que progresa su vida interior. Aquél que vive su **primera conversión**[4] sin gran esfuerzo rezará con la oración del publicano. Dios, en ese momento, le toca con su amor de forma sensible, y puede llegar a llorar a la vista de sus pecados. Generalmente esta etapa pasa rápidamente. Más adelante, tu contacto con Dios estará entremezclado con estados de **sequedad** cada vez más frecuentes. Así, unas veces no tendrás problema alguno con la oración y otras experimentarás que no eres capaz de orar. Aunque desees orar como el publicano, no te sentirás publicano. Intentarás convencerte a la fuerza de que lo eres, sin embargo no te creerás que eres peor que los demás y que no eres digno "ni de alzar los ojos al cielo" (cf. Lc 18,13). Tus conocimientos acerca de la oración del pobre de espíritu no serán capaces de cambiar lo que sientes.

Y esto es normal.

Gracias a esto comenzarás a darte cuenta

---

[4] "En la vida cristiana pueden distinguirse cuatro etapas: la del pecador, la del cristiano convertido (principiante), la del hombre espiritual (avanzado), y la del glorificado o también transformado. Puede decirse que en el caso de la primera etapa, el pecador empedernido, no se preocupa por los mandamientos de Dios, ni por las cosas espirituales. Cuando llega algún tipo de crisis en su vida, se realiza en él la primera conversión y se vuelve ya sea un hombre recto, o un cristiano iluminado por la fe. San Juan de la Cruz no se ocupa de esta primera conversión. Supone que el lector ya rompió con el pecado y con todo lo que sería una ofensa a Dios, y que es poco probable que regrese a esas cosas" (cf. N. Cummins, *Introducción a la Enseñanza de San Juan de la Cruz*, título original: An Introduction to Saint John of the Cross).

de tu falta de buena voluntad. Porque, de hecho, es Dios quien te obsequia con la gracia de la buena voluntad. Él quiere que aceptes esta gracia inapreciable, sin embargo tu te puedes negar. Para que puedas orar como el publicano, tienes que ver que también tu buena voluntad es un don que recibes del Señor.

Gracias a los estados de sequedad, tu oración se vuelve más auténtica. Entonces experimentas que no tienes nada por ti mismo:

No sabes orar,
no eres capaz de reconocer tu pecado,
no sabes ponerte en la verdad.

¡Y esta es precisamente la verdad sobre ti mismo!

Cuando te des cuenta de esto, te resultará difícil perseverar en la oración, reconociendo lo pecador que eres. Preferirías terminarla antes, con el pretexto de que una oración más larga sería gula espiritual. De esta forma reduces el tiempo de oración y, al mismo tiempo, te convences a ti mismo de que así no sucumbes a la gula espiritual. Este es un típico mecanismo de racionalización: tratas de construir otra teoría que justifique tu egoísmo.

Reconoce tu incapacidad

Al ponerte en la verdad, deberías reconocer que disminuyes el tiempo de oración porque **no sabes orar y porque a veces tampoco quieres;** reconocerías que generalmente te es muy difícil dedicarle tiempo a Dios, aunque sólo sea un momento.

A pesar de lo que acabas de descubrir, trata de decirle

sinceramente a Jesús:
Señor, como ves, no sé orar.
No tengo la actitud del publicano
contrito y confiado en tu misericordia.
En todo momento me doy cuenta de que mis pensamientos
están lejos de ti.
A pesar de todo, creo que Tú no vas a rechazarme.
Creo que ante tus ojos tienen valor
incluso mis torpes esfuerzos.

Es muy importante que regreses una y otra vez a la actitud del publicano, también cuando en la vida cotidiana estés ante Cristo presente en tu prójimo.

Entonces con seguridad olvidarás quién eres.
No te enfades por ello.
Lo olvidas porque eres pecador.

Reconócelo, y, aún más ardientemente, dale gracias a Dios

por su amor,
Porque llena consigo mismo un recipiente tan miserable,

porque a pesar de tu pecaminosidad eres templo de Dios,

un templo en quien el mismo Señor quiere habitar.

Permanecer en la actitud del publicano no es fácil. Exige el reconocimiento de la propia pecaminosidad en las diferentes circunstancias de la vida cotidiana. Para eso, es necesario un esfuerzo constante de la voluntad, pues emocionalmente no tienes por qué sentir que eres publicano. Sin embargo, debes aceptar y acoger esta verdad en la esfera de la voluntad. Y esto es lo más importante.

¿De qué sirve que alguien se deshaga en lágrimas por haber experimentado emocionalmente su pecaminosidad? En realidad sólo ha podido ver y reconocer una pequeña parte de ella. La emoción le ha podido generar la convicción ilusoria de que había orado con una auténtica oración del publicano, e intensificar así la **ilusión** de que ha conocido plenamente la verdad sobre sí mismo.

Es mejor reconocer que en presencia de Dios no eres capaz de ser como el publicano.

Lo más importante es que no temas ponerte en la verdad.

No tengas miedo de hablar con Dios
                                   de tu miseria
con plena sinceridad.
Así le muestras tu confianza.

Entonces conocerás también qué es la paz y la alegría interior,
     experimentarás la libertad de corazón
     y comenzarás a ser feliz,
     porque a esto conduce la vida en la verdad.

El publicano no sabe si fue justificado y lo acepta.
     El fariseo "confiaba que era justo",
          mientras oraba y también después.

Si después de orar surgiera en nosotros la convicción de que hicimos una verdadera oración del publicano y de que ya conocemos la verdad sobre nosotros mismos, esto sería un claro indicio de la actitud del fariseo, satisfecho de sí mismo. No nos engañemos, en alguna medida siempre seremos fariseos.

La confesión de la pecaminosidad que conocemos, nunca abarcará más que una mínima parte de la verdad objetiva. Probablemente en este mundo jamás seremos capaces de ponernos ante Dios en la verdad plena. Sólo en el cielo podremos estar ante Él en toda la verdad: cara a cara. "Ahora conozco de un modo parcial, pero entonces conoceré como soy conocido" (1Cor 13,12).

Los santos también conocieron poco a poco la verdad sobre sí mismos. No sabemos si ya en la tierra la conocieron en su totalidad.

No nos engañemos pensando que algún día, aquí en la tierra,
conoceremos toda la verdad.

Sin embargo hay que quererlo y pedir ardientemente esta gracia.

No te equivocarás si estás convencido siempre, de que sólo ves una pequeña parte de la verdad sobre ti mismo.

Tu oración debería estar acompañada siempre: de una continua insatisfacción por cómo te pones ante Dios
en la verdad,
por la convicción de que,
soy como el fariseo,
de que, aunque ahora reconozca mi nada y mi

pecaminosidad,
            es sólo en un grado insignificante.
Deberíamos preguntar con admiración
Señor, ¿cómo puedes amar a alguien tan hipócrita
                                    y mentiroso?
pero ¡si es una locura, amar a alguien como yo!
Aquí en la tierra jamás comprenderemos la
paradoja de que el abismo de la miseria y la pecaminosidad puede ser llenado
                    por el abismo del amor.
El descubrimiento de esta verdad siempre
debería ir acompañado
                        de la perplejidad,
      perplejidad por la locura del amor de Dios
por nosotros,
      que somos el abismo de la nada y de la
pecaminosidad.

Cuando no ves ningún progreso

La lucha contra uno mismo y contra las propias debilidades, se puede comparar al hecho de
sacar agua con un vaso sin fondo: por mucho que
se intente, no produce ningún efecto. Al principio, tú tampoco verás ningún progreso. Quizás te
enfades contigo mismo, y digas desanimado: me
es imposible ser fiel a Dios.
Es verdad, no es posible que le seas fiel
                        por tus propias fuerzas.
      Sin embargo, debes luchar
            hasta que llegue el día en que asombrado
verás

que el agua del vaso sin fondo, ¡no se derrama!

A partir de este momento Dios comenzará a hacer milagros
en tu vida.

Hasta que esto suceda, no basta con que digas teóricamente que por ti mismo eres incapaz de cualquier bien sobrenatural.

Después de haber intentado muchas veces sacar agua con el vaso sin fondo, debes **experimentar y reconocer** realmente esa verdad.

Entonces Dios tendrá compasión de ti.

Sin embargo, sería fatal para ti que, después de esta intervención especial en tu vida interior, dijeras:
por fin soy bueno;
me ha costado mucho tiempo, pero al fin soy un buen padre,
una buena madre,
un buen trabajador...
Mis confesiones
son también cada vez mejores.

Si fuera así, tendrías que volver a empezar de nuevo,
hasta que experimentaras que:
por ti mismo eres incapaz de cualquier bien sobrenatural.

Es verdad, no eres capaz,
únicamente debes esforzarte en vivir el Evangelio,
debes hacer todo lo que puedas,
hasta que, en algún momento, Dios realice el milagro.

Así le sucedió a Santa Teresita del Niño Jesús. Ella también luchó durante muchos años contra su debilidad. Y finalmente Dios hizo el milagro: comenzó a vivir plenamente las enseñanzas de Jesús. Sin embargo, sabía que se lo debía a la misericordia de Dios.

Tú también lucharás contra ti mismo durante mucho tiempo
hasta que al final **Dios** haga
que comiences a ser realmente como el publicano.

Entonces, serás de verdad un buen padre,
una buena madre,
un buen cristiano;
por misericordia de Dios.
Es necesario que creas,
que algún día, Dios hará el milagro:
Él mismo hará en ti todo
lo que tú no puedes hacer.

2. LOS ENCUENTROS CON DIOS

La oración en la práctica diaria conlleva generalmente muchas dificultades.

Exige no sólo la participación de la voluntad y de la razón, sino también la entrega total de uno mismo a Dios.

Tal vez escatimas tu tiempo a Dios, justificándote con cada obstáculo. Quizás, cuando aparecen más distracciones y la oración pierde algo de su carga sensible y emotiva, te quieres convencer de que no eres capaz de concentrar tu atención en Dios. Tal vez, engañándote a ti mismo, renuncias fácilmente al esfuerzo por el recogimiento interior.

Al hacer esto estás renunciando al mismo tiempo a una forma muy importante de encuentro con Dios.

Una de las más importantes.

Para evitarlo trata de utilizar en la oración algunos símbolos e imágenes relacionadas con Dios.

Encontrarse en el Corazón de Cristo

De una madre que lleva a su hijo en el pensamiento y comparte su vida se dice que lo lleva en su corazón; de manera semejante, pero en un grado incomparablemente mayor, Dios lleva al mundo entero en su Corazón. Él se preocupa de todo lo que necesitamos, pero especialmente de lo que es necesario para nuestra salvación. El Creador del mundo ama su obra, mira a cada uno de sus hijos con un amor y una solicitud que no pueden expresarse con palabras. Constantemente se acuerda de cada uno de nosotros y nos sumerge en el fuego de su amor.

Encontrarte en el Corazón de Cristo puede ser una forma de encuentro con Dios y de profundizar el misterio de su amor por ti.

Durante su pasión en la Cruz, Cristo reúne en su corazón a todos los hombres:

santos y pecadores,

buenos y malos,

creyentes e incrédulos.

Jesucristo desea sumergirnos y purificarnos a todos

en el amor de su Sacratísimo Corazón.

El fuego del amor que arde en el Corazón de Jesús, puede purificar a toda la humanidad. Gracias a este amor todos hemos sido redimidos, pero no todos quieren recibirlo.

Tú también, con tus pecados e infidelidades, tienes un lugar especial en el Corazón de Cristo; este Corazón, traspasado por una lanza y rodeado por una corona de espinas, te abraza con un amor insondable. En cambio tú, como espina y como lanza, lo traspasas muchas veces. Sin embargo, Él te conserva en su Corazón. Si te sacara de Él, morirías. Jesús también sumerge en su amor a los que no creen en Él y a los que le odian, porque

si no, dejarían de existir. Todos estamos en su corazón,
porque todos somos hijos de Dios.

Al meditar sobre este misterio encontrarás tu lugar en la Iglesia,
el Pueblo de Dios redimido y sumergido en el Corazón de Cristo.

El Corazón de Dios, abrasado de amor,
es nuestro refugio,
el lugar donde somos libres
y estamos seguros.
Es como una fortaleza,
en la que Dios nos protege.

Tú puedes no querer permanecer en este Corazón. Has sido obsequiado con una voluntad libre y puedes rechazar la enseñanza de Jesús y no querer reconocer a Dios como Padre. No obstante, Él nunca te rechaza.

Dios, en su amor por ti está **indefenso**. Precisamente por eso le puedes herir tanto. Eres su hijo y tienes derecho al Corazón de Dios, pero por ser su hijo, puedes herirle de la manera más dolorosa.

Cuanto más consciente y voluntaria
es tu infidelidad a la voluntad de Dios,
tanto más consciente y voluntariamente le hieres.

Reflexionando sobre la verdad de tu presencia en el Corazón de Dios,
podrás conocer mejor la verdad de su amor

y la verdad de tu pecado.

No puedes ser plenamente discípulo de Cristo, si no crees que, a pesar de tu pecaminosidad, estás sumergido en el amor de su Corazón. Si no tienes fe en su amor, te hará falta una motivación convincente para vivir el Evangelio. Sólo cuando creas que eres amado adoptarás ante las dificultades que te sobrepasan la actitud del niño que confiadamente se presenta ante su Padre, y te decidirás a profundizar con valentía el abismo de tu propia miseria.

En la raíz de todo mal está tu posibilidad de decirle "no" a Dios.

Eres libre, puedes no aceptar el amor,

puedes no creer que has sido llamado por Dios a la vida,

ni que por Él has sido llamado al amor eterno en la vida futura.

Cuando tu fe se debilite, procura encontrarte lo más frecuentemente posible en el corazón de Dios:

en los momentos de oración

y en los momentos de la vida diaria,

sobre todo cuando estés abrumado por el peso de las preocupaciones,

y esa carga te parezca algo absurdo

y desesperante.

Nada es desesperante

para aquel que ha creído que está

en el corazón de Dios.

La fe en el amor te permitirá comprender que todo lo que te sucede es gracia[5].

---

[5] Cf. Santa Teresita del Niño Jesús, *Novissima Verba* del 5 de junio de 1897.

Mientras vivas, Dios te obsequia continuamente con innumerables gracias. Sin embargo, en el momento de la muerte estarás obligado a tomar una decisión definitiva: o crees en el amor de Dios, o lo rechazas.

La idea de la muerte no debería asustarte demasiado, pues será sólo la muerte de tu cuerpo, que debe perecer. **Tú** resucitarás. En el momento de la muerte, cuando te presentes ante Él con las manos vacías,
podrás recurrir con confianza de niño
a su amor por ti.
Gracias a esta confianza, que se irá formando durante toda la vida,
te abrirás al don de la salvación.

En sus brazos heridos

El convencimiento profundo de que estás en los brazos de Cristo, puede ayudarte también a profundizar en el misterio del amor de Dios y de la verdad de tu pecaminosidad.
Jesús te estrecha entre sus brazos,
como un padre y una madre abrazan a su hijo amado.
Te abraza con las mismas manos que fueron clavadas en la cruz para tu salvación. Con los brazos abiertos en la cruz te dice: "te amo, entrego mi vida por ti para que te puedas salvar".
Sin embargo, eres libre,
puedes permanecer en los brazos de Cristo,
o escaparte de ellos.

Con su gesto de los brazos abiertos hacia ti, Jesús no te esclaviza,
sólo **te declara su amor.**
¿Acaso no desprecias este gesto de amor en nombre de una independencia fomentada por tu egoísmo?
Al soltarte de los brazos de Cristo le causas un nuevo dolor.
Cuando tratas de huir para decidir por ti mismo sobre tu propio destino,
estás tomando la decisión
de vivir como si Dios no existiera.
El Creador, que con gran amor tiene
entre sus manos el universo entero,
y lo sostiene en su existencia,
con ese mismo amor te sostiene a ti también, que eres polvo.
Sin duda alguna, como criatura eres polvo,
pero fue Dios quien te creó
y para Él eres alguien especialmente amado, eres alguien único.

En los momentos de pruebas difíciles y oscuridad de la fe, no olvides que estás en los brazos del mismo Dios.

Las manos de Cristo son las manos de un Padre que te ama y de una Madre que te ama, porque el amor de Dios es paternal y también maternal.

Cristo te tiene entre sus brazos, porque eres su hijo amado, pero no olvides que Él está todo herido. Pues para salvarte fue flagelado, coronado de espinas, clavado en la cruz y además traspasa-

do en su Corazón por la lanza.
Cuando intentas soltarte de sus brazos,
Él, a costa de que se reabran sus heridas,
te retiene.
Cuando forcejeas
porque no crees en su amor,
sus heridas vuelven a sangrar.
Con esta Sangre serás lavado de tus peca-
dos, si regresas.
No huyas.
Cree que sólo en Cristo está tu salvación.

Puedes meditar sobre esta verdad del amor
insondable de Dios, no sólo durante el tiempo de
oración, sino también acordándote de ella en tu
relación con el prójimo. Aquí en la tierra no es
posible conocer toda la profundidad del misterio
del amor de Dios, pero algunas imágenes pueden
acercarnos a él.

En etapas posteriores de la vida interior, Dios
puede darte la capacidad de conocer su amor de
otra forma más fructífera. Sin embargo, antes de
que se te conceda llegar a esas etapas, Dios espera que **perseveres en la oración**. Si perseveras, en
algún momento conocerás, en cierta forma, tu
miseria y la grandeza del amor de Dios.

Delante de Cristo crucificado

Cristo, ante quien estás en la oración, es el
Cristo del Monte Tabor lleno de majestad y de
poder, pero también es el Cristo crucificado.

Si oras delante de Cristo extendido en la cruz, Él mismo te enseñará las verdades fundamentales del cristianismo. Entonces comprenderás que la justicia de Dios es diferente de la justicia humana.

Jesús, antes de que llegara "su hora" (cf. Jn 13,1), había visto el inmenso sufrimiento que le esperaba, y que, aún siendo inocente, habría de padecer por los pecados del mundo;
veía nuestros pecados y culpas, que por voluntad del Padre tendría que tomar sobre sí.
Sabía perfectamente que los hombres le rechazarían,

> que se burlarían de Él y le escupirían,
> que le flagelarían, y le coronarían de espinas
> y que con toda crueldad le martirizarían
en la cruz

> como el mayor criminal.
– y lo aceptaba.

Orando en el Huerto suplicaba: "Padre mío, si es posible, que pase de mí esta copa, pero no sea como yo quiero, sino como quieres tú" (Mt 26,39).

¿Por qué sufro injusticias en mi vida? Orando ante Cristo crucificado recibirás la respuesta a esa pregunta. Comprenderás que Dios puede permitir que te suceda algo que humanamente te parezca injusto, porque Dios ve las cosas de una forma distinta que el hombre. A los ojos de Dios, la injusticia humana que sufres puede ser algo justo. Por ser pecador siempre mereces ser rechazado y castigado.

Mientras no experimentes alguna injusticia, no

podrás comprender con mayor profundidad lo que Cristo vivió, cuyo martirio también tuvo que ver con la injusticia que experimentó.

Quien es condenado justamente, como el buen ladrón, encuentra un motivo racional para aceptar su sufrimiento. En cambio para el que sufre injustamente, su única motivación es recurrir a la cruz de Cristo. Sólo cuando recurras a ella, podrás agradecer la injusticia que sufres:

Dios mío, te doy gracias porque compartes conmigo
tu inapreciable tesoro,
porque me permites comprender mejor el misterio
de tu cruz.

En el camino a la santidad no puedes esperar que Dios te preserve de la injusticia, y que te suceda sólo lo que mereces desde el punto de vista humano.

San Juan Bautista, que anunció la verdad y llamó a la conversión cuando preparaba a su pueblo para la venida del Mesías, tampoco merecía morir desde el punto de vista de la ley. Un capricho de Herodías fue lo que decidió su condena. Desde el punto de vista humano, Juan Bautista sufrió una gran injusticia. Sin embargo, en los designios inescrutables de su Providencia, Dios lo permitió.

Un don oculto en cada experiencia

En todas las experiencias con las que te encuentras, incluso aunque no las comprendas, Dios esconde algún don especial para ti. Esto lo entenderás orando ante la cruz y profundizando en el misterio de la actuación de Dios.

Cuando estás atormentado por el sufrimiento,
cuando sufres algún daño,
te acercas a Cristo crucificado.

Tu cruz permite que te unas al Crucificado y que comprendas con mayor profundidad, los misterios de su pasión, muerte y resurrección. Por lo tanto, no te sorprendas si te encuentras con un sufrimiento tras otro, o si vuelves a ser rechazado por la gente.

La perspectiva del sufrimiento asusta,
pero, de hecho, ese fue el camino de Cristo.

A la luz de la fe comprenderás que la mayor distinción que puedes recibir por parte de Él es compartir contigo su sufrimiento,
el sufrimiento de alguien condenado injustamente,
burlado,
y martirizado en la cruz.

Jesús aceptó ese sufrimiento como Sacrificio por tus pecados.

Si quieres asemejarte a Él, es necesario que aproveches lo mejor posible este Sacrificio. Cuando ores al pie de la cruz irás descubriendo la **inmensidad** del amor de Aquel que aceptó una muerte vergonzosa para salvarte a **ti**.

Cristo crucificado te llama a que le imites,
a que, en su actitud de obediencia total al Padre,
encuentres un modelo de vida
para ti.

Las experiencias, las pruebas de fe o las dificultades de la vida diaria, serán siempre difíciles. Es posible que tu cruz tenga nuevas preocupaciones que te hagan sufrir,
    falta de fuerzas,
    falta de descanso,
    obligaciones que se multiplican,
    una responsabilidad que te abruma.
Todo esto puede convertirse en una experiencia muy difícil, pero, a la luz de la fe, el yugo de Cristo es suave y su carga ligera. Tu cruz permite que te unas al Crucificado. Por lo tanto, procura ver todas tus dificultades y experiencias con paz y confianza.
    En el camino de la cruz no estás solo.
    María también caminó por la misma senda.
    Ella compartió con Jesús, espiritualmente,
        lo que Él vivió,
    desde el Huerto hasta la Cruz.
Aquella que más fielmente siguió a su Hijo por el camino de la cruz,
        está ahora junto a ti.
    Con seguridad te diría: ¡Sé valiente! No tengas miedo.
    El camino por el que vas te lleva a la salvación y a la santidad.

Ante Cristo lleno de poder

Es posible que en tu oración estés muchas veces ante el Cristo del Monte Tabor, ante Aquél que tiene el poder de hacer milagros y de vencer todo mal.

Tal vez tú también te comportas como san Pedro y pierdes la cabeza cuando eres testigo de cómo Dios transforma el corazón de alguien, o hace alguna curación. Estos signos son el testimonio de que Cristo está junto a ti.

Que te recuerden su omnipotencia.

Que en tu camino de unión con el Crucificado llenen tu corazón de paz.

3. AL DESCENDER EN EL SILENCIO DE LA MEDITACIÓN

La meditación es un proceso de profundización activa de ciertas verdades y misterios divinos por medio de nuestra razón, imaginación y sentimientos. En la Iglesia han ido surgiendo diversos métodos de meditación, muchos de los cuales fueron aceptados. Es recomendable y apropiado utilizar estos métodos clásicos. Sin embargo, no hay que olvidar que la búsqueda de formas de oración es un proceso incesante, como lo es también la búsqueda del propio camino hacia Dios.

En esta búsqueda del camino en el que Dios nos espera, podemos tratar de complementar los métodos clásicos con aquello hacia lo que se incline nuestro corazón.

Pero cuando el Señor nos permite pasar de unas etapas de la vida interior a otras, resulta incluso imprescindible apartarse de ciertos esquemas comunes de meditación. Atenerse a un único método podría entonces dificultar la libre actuación del Espíritu Santo.

Cristo ante tus ojos

Cuando **te estás preparando** para meditar,

procura recogerte lo más profundamente posible,
para que puedas ponerte en presencia de Dios,
Padre y Amor que lo envuelve todo
en el silencio de tu corazón.
Lee un texto de la Sagrada Escritura
u otra lectura adecuada,
y empieza tu meditación,
Es importante en este momento, que te des
cuenta
de que Cristo,
ante quien estás,
se dirige a ti
y que es Él quien pronuncia las palabras
que serán el contenido de tu
meditación.
El texto que elegiste es palabra viva de
Dios dirigida a ti,
a pesar de que por ti mismo eres ante Él
polvo y ceniza.
Cuando Abraham intercede ante Dios por
Sodoma y Gomorra, dice: "¡Mira que soy atrevido
de interpelar a mi Señor, yo que soy polvo y
ceniza!" (Gen 18,27).

Abraham cree en el amor de Dios que lo envuelve, porque se atreve a pedirle que cambie sus
planes. Sin embargo, al mismo tiempo, se da cuenta
de la gran distancia que le separa de Dios, por
eso acentúa: "soy ceniza".

Las palabras: "Mira que soy atrevido de interpelar a mi Señor", muestran su actitud de profundo respeto hacia Dios.

Es la misma actitud que Dios exige también
a Moisés cuando se le revela en las llamas de la

zarza ardiendo: "Dijo, pues, Moisés: «Voy a acercarme para ver este extraño caso: por qué no se consume la zarza». Cuando Yaveh vio que Moisés se acercaba para mirar, le llamó de en medio de la zarza: «¡Moisés, Moisés!» Él respondió: «Heme aquí.» Le dijo: «No te acerques aquí; quita las sandalias de tus pies, porque el lugar que pisas es suelo sagrado.» (...) Moisés se cubrió el rostro, porque temía ver a Dios" (Ex 3,3-6).

¿Qué significa la orden de quitarse las sandalias? Dios le dice a Moisés que debe adoptar ante el Creador y ante el lugar en el que Él está, una actitud llena de respeto. Al darse cuenta de que está en presencia de Dios, Moisés se cubre el rostro; en este momento sobrecogedor experimenta su nada. Sin embargo, al mismo tiempo debió experimentar el amor de Dios, porque a pesar del temor no huyó.

Cuando en la oración no percibes esta cercanía extraordinaria de Dios, como sucedió en el caso de Abraham o de Moisés, Dios espera que tengas fe. Cristo quiere que a pesar de que no le sientas, creas que Él está junto a ti, que está ante tus ojos, aunque no le veas.

La primera parte de la meditación
consiste en ponerse delante de Jesús,
y escuchar atentamente las palabras
que Él te dirige.

Pemaneciendo en presencia de Jesús procura meditar sus palabras,
y penetrar en su profundidad y significado.

Éstas son las palabras de Aquél que murió por ti en la cruz. Por lo tanto, puedes figurarte que Cristo te las dirige desde la cruz. Las dice mirándote con amor a pesar de que tus pecados fueron los que le clavaron en ella.

Para que te sea más fácil permanecer en presencia del Crucificado durante la meditación, puedes tener ante ti una cruz. Para algunos la cruz en sí misma ya será un signo suficientemente significativo, a otros les ayudará más una clara imagen de Cristo con la corona de espinas, las heridas y el costado traspasado.

Ponte ante Dios en la verdad.

Piensa que Él te dirige esas palabras,

a pesar de que continuamente estás cerrado a ellas,

y de que como "los cerdos"[6] del Evangelio estás dispuesto a pisotearlo todo.

Procura entonces confesarle a Cristo lo que percibes:

Señor, no comprendo

por qué a pesar de que estoy tan cerrado quieres hablarme.

Tú sabes bien a quién echas las perlas de tus palabras. Te doy gracias porque a pesar de todo quieres hablarme.

---

[6] "No (...) echéis vuestras perlas delante de los puercos, no sea que las pisoteen con sus patas, y después, volviéndose, os despedacen" (Mt 7,6).

Cristo en tu corazón

Las palabras del texto que estás meditando te las dice Cristo en lo profundo de tu corazón.
Él no solamente te habla **a ti**,
sino que también habla **en ti**,
porque Él habita en ti.
Estas palabras deberían convertirse en parte de ti mismo,
penetrando hasta las capas más profundas de tu ser.
Son palabras llenas de vida y de inestimables dones para ti,
porque a ellas van unidas gracias especiales.
La meditación te permitirá profundizar más en la verdad
de que nunca estás solo,
porque eres un "recipiente de barro" y en él habita Cristo.
Él eligió este recipiente para que fuera su Templo.
De hecho, eres hijo de Dios; un hijo al que se le ha dado la gracia del Bautismo, y también las gracias de los demás sacramentos. Por tanto, sabes que Dios vive en ti. Al recibir el Cuerpo de Cristo te conviertes en un copón vivo, en un sagrario viviente. Pero, no sólo eres templo de Dios en ese momento; lo eres siempre.

¿Tienes el debido respeto a Quien te escogió como morada suya?

¿Tienes algo de la actitud de los muros del templo, que con majestuosa dignidad protegen a

Cristo, oculto en el Santísimo Sacramento?
¿Adoras a Dios que está en ti?

Procura acordarte de su presencia, no sólo durante la oración, sino también en todos los momentos de tu vida. Cuanto más vivas con esta conciencia, con tanto más fervor tratarás de hacerle sitio a Dios en tu corazón.

Como fruto de esta reflexión
aparecerá en ti la conciencia
de que, con tus pecados e infidelidades,
casi continuamente
le ofendes.

Tú, que eres templo de Dios, irás descubriendo que en realidad estás más lleno de tus ídolos y de las preocupaciones cotidianas que de Dios.

Tus distracciones en la oración son prueba de que esto es verdad.

Te demuestran que los asuntos cotidianos
ocupan un lugar mayor en tu corazón
que Dios.

Te descubren que no hay fe en ti;
si la hubiera, te permitiría mirarlos
con desapego,
y de esta manera conservar la libertad de corazón para que realmente esté lleno sólo de Dios.

En cambio, a veces condenas al Creador a habitar en el templo de tu corazón junto con los ídolos, que con frecuencia ocupan un lugar de honor.

Y así insultas a Dios.

El templo de Dios es un lugar santo, y haces de él un "mercado" de tu propia concupiscencia y de tus preocupaciones cotidianas, que no quieres confiar a Dios. Tus pecados y tus continuas infidelidades hacen de él un lugar miserable e incluso inmundo; sin embargo, sigue siendo templo de Dios y lo será hasta el final de tu vida. Contra toda lógica, Cristo deposita el tesoro de su Palabra precisamente en este recipiente inmundo, aún sabiendo que tú puedes rechazarlo. Por eso, permaneciendo en la presencia de Jesús, que ha hecho de tu corazón un templo de Dios, alégrate por ese amor inconcebible que así te demuestra.

Poniéndote ante Él en la verdad, puedes decirle:

Señor, tú sabes que este recipiente no es capaz de aprovechar el tesoro que en él depositas.

Yo desde este momento quiero vivir conforme a las palabras

que me diriges,

aunque sólo sea porque estoy lleno de sentimientos y emociones.

Tú bien sabes que cuando me falten,

no seré capaz de vivir tu Palabra,

porque me supera.

De esta manera puedes seguir meditando: por un lado, en el gran amor que Dios te tiene, y por otro, en tu miseria.

Con gran emoción puedes experimentar en tu interior su presencia admirable, pero también puede ocurrir que medites en ella con gran aridez. Entonces, tu única forma de expresar la conciencia que tienes de ser "templo de Dios" puede ser, por ejemplo, que repitas esta oración de acción de gracias:

Te doy gracias Dios mío, porque estás en mi corazón.

Este agradecimiento tampoco tiene que ir acompañado de una vivencia emocional. A veces puede parecerte una "oración mecánica", sin embargo, la oración de acción de gracias pronunciada en medio de la aridez, puede expresar la debida actitud de tu **mente** y de tu **voluntad**.

Dios se fija en la disposición de la inteligencia y de la voluntad, no en el sentimiento.

Incluso, si estuvieras completamente vacío e incapaz de sentir nada, puedes decirle a Dios:

Te doy gracias, porque estás en mi corazón,
a pesar de que estoy tan vacío
y de que soy incapaz de nada.

Cristo, por su Sacrificio en la Cruz, te alcanzó la gracia inconcebible de que Dios haya hecho de ti su Templo.

Por eso puedes decir
que en tu corazón habita **Cristo crucificado,**
crucificado por tus pecados.

Es necesario que la cruz quede profundamente grabada en tu corazón.

Al adorar a Cristo crucificado
pídele perdón, porque con tus pecados e infidelidades
le crucificas continuamente
y, al mismo tiempo, dale gracias por haberte

alcanzado la gracia
de la salvación.

Cristo en tus manos

En la siguiente etapa de la meditación
procura pensar
que las palabras que has leído fueron
puestas en tus manos
como una hostia,
como cuando el sacerdote pone la forma
consagrada
en la mano del que va a comulgar.
Aunque esas palabras no son pan eucarístico,
están **llenas de Dios**.
Al ponerlas en tus manos, Dios se entrega a
las manos sucias de un pecador: su amor infinito
por ti toca el abismo de tu nada.
Cristo quiere confiar a tus manos las perlas
preciosas de su palabra, a pesar de que olvidas
rápidamente el contenido de tus meditaciones, y
de que como "los puercos"[7] del Evangelio, puedes tirar al suelo este tesoro y pisotearlo.
Cuando te des cuenta de lo mucho que hieres a Dios con esta actitud,
ponte ante Él contrito y arrepentido,
y, al mismo tiempo, dale gracias
por su infinita misericordia
Porque Él en su misericordia, te perdona todo el
mal por el que le pides perdón y te arrepientes.
También te perdona que menosprecias y desper-

---

[7] Cf. nota 6, pág. 46.

dicias continuamente el don de su Palabra.

Al ponerte ante Dios en la verdad puedes pedirle:

Dios mío, haz que no desprecie tu don.
Te pido el milagro
de mi apertura a tu Palabra.

El texto escogido es una llamada
a reflexionar atenta y profundamente sobre ti mismo,

a penetrar en todas las capas de tu miseria; para poder presentársela a Dios con el corazón contrito.

Reconoce tus pecados e infidelidades, después confía en la Divina Misericordia y da gracias a Dios por su inconcebible amor hacia ti.

Él, por su muerte en la Cruz, te concede el derecho a la Redención. Pone en tus manos ese derecho que te alcanzó para que tú mismo puedas disponer de él. Puedes aprovecharlo, pero no estás obligado a ello. De la misma manera, puedes o no recurrir a la Divina Misericordia.

Cuando deposita en tus manos el don de la Redención,

Él mismo se coloca en ellas.

Permanece indefenso en tus manos, como Hostia viva.

Es como si te dijera: "estoy en tus manos, puedes hacer conmigo lo que quieras".

Este es el misterio inexplicable del amor de Dios:

que no sólo murió por ti, sino que además se pone a tu disposición.

Te ama,
pero respeta tanto tu libertad,
que permite que le desprecies.
Derrama sobre tus manos torrentes de gracias,
pero permite que hagas con ellas lo que
quieras.

Generalmente estas gracias se te escapan de entre los dedos, y apenas aprovechas las gotas que se quedan sobre ellos. Estas gracias no aceptadas son **pecados de omisión**. Sólo Cristo sabe cuántos hay en tu vida. Lo sabe, y, a pesar de eso, ¡continuamente sigue poniendo en tus manos la riqueza de sus gracias! Cuando empieces a darte cuenta de la cantidad de gracias que desperdicias, es posible que te asustes, pero, entonces comprenderás mejor que puedes ser salvado gracias al Sacrifico Redentor de Cristo.

Meditando sobre la presencia de Cristo en tus manos,
algún día comprenderás,
que tienes en ellas al Crucificado,
a quien tú mismo crucificas
cuando desprecias las gracias que Él te ofrece
y tú no las recibes.

Entonces, comprenderás que **es su Sangre la que se escapa de entre tus dedos**, porque, al no recibir sus gracias, rechazas su salvación.

Cristo espera que algún día comprendas todo esto y te conviertas, que algún día quieras aprovechar su Redención. Si a menudo Dios, que se entrega en tus manos, te hace consciente de cómo le tratas, nacerá en ti el arrepentimiento por tus pecados, incluyendo los de omisión. También nacerá en ti la gratitud por la Redención. Esto te llevará a responder mejor a las gracias depositadas en tus manos y que requieren tu cooperación. No te desanimes cuando veas el mar de gracias desperdiciadas. Debes creer que Cristo redimió también los pecados de omisión. "Cuando los Apóstoles preguntaron: «Y, ¿quién se podrá salvar?», Jesús, mirándolos fijamente dice: «Para los hombres es imposible; pero no para Dios, porque todo es posible para Dios.»" (Mc 10,26-27).

Ver tu situación espiritual sólo desde el punto de vista humano, puede conducirte a la desesperación o a la indiferencia total. Por lo tanto, también es necesario que veas a la luz de la fe tus innumerables pecados de omisión. Y la fe te dice que **lo más importante es creer en el amor de Dios:** Él te ama a pesar de toda tu miseria.

Cristo empezará a transformarte sólo si tienes una fe y una confianza a toda prueba. Por eso, confía en que Dios es Amor.

Solamente un corazón que ama se da cuenta de que es obsequiado.

Una esposa, cuando está enamorada, percibe incluso las más pequeñas muestras del amor de su esposo, aunque sólo sean expresadas a través de gestos sencillos.

Así debería ser entre Dios y tú. Pero a eso sólo se llega mediante una oración confiada y perseverante.

Al terminar la meditación

En la última parte de la meditación puedes tomar una concreta determinación, expresándola en forma de oración:
Señor, te doy gracias por permitirme conocer mejor el misterio de tu amor.
Tú nunca dejas de amarme.
Creo que, cuando te confieso mis culpas con contrición,
Tú me perdonas todo
y me pones en tus hombros como a la oveja perdida.
Al terminar la meditación
vuelve una vez más a este gran
misterio:
estás en el Corazón de Cristo,
estás en sus brazos.

Desea vivir consciente del insondable amor de Dios por todos los hombres, incluso por aquellos que lo rechazan. Gracias a la fe en este inexplicable amor irás uniéndote a Jesús en la vida cotidiana, y responderás al gran deseo de su Corazón: que todos crean que "Dios es Amor" (1Jn 4,8).

Sal al encuentro del deseo del Corazón de Jesús.

No tengas miedo de ser un loco.

Es verdad que hieres al Corazón de Jesús, pero, también es verdad que Él quiere que permanezcas dentro de él.
Que tus meditaciones
y las determinaciones que tomes,
se conviertan en tu programa de vida,

en el programa de tu camino a la santidad.
La meditación te introduce en una determinada realidad de tu vida: irás aprendiendo el diálogo continuo con Dios. Día tras día irás conociendo nuevos aspectos de la verdad de Dios. Y, por las gracias que se te concederán, esta verdad

te irá acercando a Dios
y te irá transformando,
te conducirá a la vida de fe
y a la realización de aquello
que gracias a ella, se obró en tu vida
interior.

Dios deposita su tesoro en tus manos, con el fin de que procures vivirlo; para que vivir este gran tesoro y tener conciencia de su Amor, se conviertan en tu esperanza y tu alegría.

4. MEDITANDO SOBRE LA ORACIÓN QUE EL SEÑOR NOS ENSEÑÓ

La parte principal de la meditación es la **adoración a Dios:**
> permanecer ante Él en actitud de adoración
> y meditar lo que Él quiere comunicarte,
> ya sea a través del texto que lees,
> o a través de tus experiencias interiores.

Puede ocurrir que no puedas concentrarte en las palabras, y que, en cambio, experimentes tu miseria y el amor de Dios, que se inclina sobre ti.

"Padre nuestro"

Cuando con actitud de fe tomes conciencia de que estás ante tu Padre del Cielo,
cara a cara,
permanece ante Él **con la confianza de un niño.**
Esto es lo que Jesús enseñó a los Apóstoles, cuando les invitó
a dirigirse a Dios diciendo: "Padre nuestro" (Mt 6,9).
Así, en actitud de reconocimiento de la propia nada,
y, al mismo tiempo, de confianza de niño ante Dios,

adora a Aquél que está junto a ti.
Esta adoración puede conducirte al auténtico temor de Dios. María, en el momento de la Anunciación, al encontrarse cara a cara en la presencia de Dios, "se conturbó" (Lc 1,29). Entonces "el ángel le dijo: «No temas, María»" (Lc 1,30).

Cuando Dios se te revela durante la oración, espera que tu respuesta
sea la **adoración, con la actitud**
confiada de un niño.

"Venga a nosotros tu Reino"

Si quieres continuar tu meditación,
puedes reflexionar sobre las siguientes palabras de la
oración del Señor:
"Venga tu Reino" (Mt 6,10).

Esta parte de la meditación te hará más consciente de que, como hijo de Dios, estás llamado a construir su Reino en la tierra.
Expresa tu alegría al Creador
por el don inconcebible de ser "hijos adoptivos" (Rom 8,15)
y, al mismo tiempo,
poniéndote ante Dios en la verdad,
muéstrale
que tus manos están vacías.
Este es un aspecto de tu comunión con Dios: la unión cada vez mayor con Él por medio del

conocimiento de la dignidad tan grande a la que fuiste elevado. Esta comunión puede realizarse, bien por medio de la reflexión del texto, bien por la experiencia interior de la propia miseria y del amor insondable de Dios por ti.

El gesto de mostrarle a Dios tus manos vacías, y el hecho de que en la construcción de su Reino eres un siervo inútil, debería ir siempre unido a una gran confianza en la Divina Misericordia. Dios espera que confíes en que **su amor sobrepasa infinitamente tu indignidad.**

Cuando el ángel reveló a María los designios de Dios, ella experimentó su pequeñez, pero eso no disminuyó su fe en el amor de Dios.

"Hágase tu voluntad"

En la etapa siguiente de tu meditación, las palabras "Hágase tu voluntad" (Mt 6,10) pueden profundizar tu deseo de cumplir la voluntad de Dios.

El proceso del conocimiento del amor de Dios, conduce a un deseo cada vez más profundo de ser dócil a su voluntad en todo.

La Santísima Virgen, respondiendo al amor insondable que le fue revelado en la Anunciación, dijo "sí". En tu vida debería ser igual. Cuando en la meditación Dios te manifieste su amor a través de las palabras del texto, o por medio de la vivencia interior de ciertas verdades, tu respuesta debería ser el deseo de someterte totalmente a Él.

María expresó su deseo de cumplir la voluntad de Dios al responder: "He aquí la esclava[8] del Señor; hágase en mí según tu palabra" (Lc 1,38). Tú también deberías decirle a Dios:

Padre, Tú sabes lo miserable que soy;
sabes que si me guío a mí mismo, me perderé;
por eso permíteme ser tu esclavo.
Responder adecuadamente a lo que Tú me revelas
me sobrepasa por completo.
Por eso quiero someterme a ti en cada instante
de mi vida.

También cuando, como un esclavo,
no comprenda plenamente tu forma de actuar.
Quiero aceptar todo, cualquier cosa que me des.
Quiero reconocer que eso es lo mejor para mi.
No por obligación,
sino porque en lo más profundo de mi corazón
deseo cumplir únicamente tu voluntad,
aún cuando no la entienda.

Este método de meditación puede ser utilizado en diferentes etapas de la vida interior; tanto cuando llenamos el recipiente de nuestra alma con la ayuda de la razón, de la memoria y de los sentimientos, como también más adelante, cuando ya no podemos apoyarnos en la meditación

---

[8] La definición de María como "esclava del Señor" la encontramos en el texto griego del Evangelio de san Lucas dos veces (Lc 1,38; Lc 1,48). Esclavo es aquel a quien le han quitado su autonomía (Cf. G. Kittel, G. Friedrich, *Theologisches Wörterbuch zum Neuen Testament*, Bd.2, Stuttgart 1935, p.264). "El texto griego habla de la esclava del Señor, es decir, de una persona que en manos de su dueño es como una cosa, que no posee ningún derecho, ninguna libertad, para quien la voluntad del Señor es su voluntad, y siempre quiere cumplirla". *Antiguo y Nuevo Testamento*, Poznan 1987, notas a Lc 1,38; p.151)

discursiva.[9] En ese caso, la meditación se convierte en un simple permanecer en la presencia de Dios, y en un concentrarse en alguna idea general. Esta **oración de recogimiento**[10] (según la definición de Santa Teresa de Jesús), consiste en que las facultades del alma se concentran en Dios instintivamente, para recibir todo lo que Él quiere comunicarnos, para someterse totalmente a su actuación y, como consecuencia, para cumplir su voluntad en todo. Por medio de esta forma de meditación, Dios

---

[9] Discursiva: consiste en la forma intelectual, racional, de captar la realidad, diferente a la forma directa (sensible e intuitiva).

[10] La oración de recogimiento, según Santa Teresa de Jesús, es la conciencia viva de que Dios está en nosotros. Este es el segundo grado de oración (el primero es la meditación). Consiste en una toma de conciencia activa. Esto significa que tanto el trabajo de nuestra razón y voluntad, como la mirada de fe, juegan un papel esencial. El alma misma trata de tomar conciencia de la presencia de Dios en ella. Esta oración consiste en apartarse de las criaturas y en entablar comunicación con Dios a través de la mirada de fe. No se trata aquí sólo de tomar conciencia de la presencia de Dios que nos sostiene la existencia, porque para eso bastaría la razón. Se trata de la presencia de Dios que es el objeto exclusivo de la fe: Dios, que viene a nosotros, se nos entrega para que le conozcamos, le amemos y, en cierto grado, sintamos ya aquí en la tierra la alegría de su presencia. Sin embargo, este "saborear" a Dios es ya, en cierta medida, algo pasivo, que el alma no puede crear por sí misma, sino que fluye de los dones del Espíritu Santo. La fe mencionada anteriormente es suficiente para entablar con Dios una comunicación íntima, filial. Esta oración es un conocimiento seguro, pero oscuro. La oración de recogimiento puede ir a la par de cualquier forma de oración.
Santa Teresa indica tres ventajas de la oración de recogimiento: el alma adquiere cierto dominio sobre sus sentidos, el amor de Dios se enciende con más facilidad en el alma y la oración de recogimiento prepara al alma para la oración infusa (para la oración de quietud y para la oración unitiva).

puede conducirte por fin a la **oración de quietud.**[11]

Procura escoger los métodos y formas de meditación con la ayuda de tu confesor, para que en cada etapa de la vida interior puedas someterte plenamente a la actuación del Espíritu Santo. Esta actuación del Espíritu Santo se irá intensificando

en la medida en que le llames

consciente de tu miseria espiritual.

Tú, pecador necesitado de su poder salvífico y curativo.

Entonces, descubrirás lo importante que es en la meditación

la actitud del publicano.

A la oración de recogimiento podemos llegar por nosotros mismos. Santa Teresa asegura que con un trabajo perseverante, con la ayuda de Dios, se puede llegar a la oración de recogimiento en un año o incluso en medio año.

Hay tres medios que ayudan a alcanzar este objetivo:

-Imaginar a Dios en la oración con la ayuda de alguna imagen, pues, aunque no siempre le podemos sentir, podemos imaginarle cuando lo deseemos.

-Entregarse totalmente al Señor, ofrecer nuestra voluntad a la suya, dejarnos atraer por Él, porque Él desea nuestro consentimiento

-Tomar conciencia de su presencia durante todo el día; ir a todas las ocupaciones con Él. (cf. Gabriele di Santa Maria Maddalena. *La via dell'orazione*, Roma 1955, p. 157-168).

[11] La oración de quietud es una oración sobrenatural, es decir, que no podemos adquirirla por nosotros mismos. Por nuestra gran miseria no somos capaces de celebrar, alabar, adorar, ni ensalzar a Dios dignamente, por eso Él mismo viene en ayuda de nuestra debilidad, dándonos, ya aquí en la tierra, las primicias de la participación en su Reino.

Este es el tercer nivel de oración. Se trata del inicio de la contemplación pura, cuando el alma no se sirve de la imaginación ni de conceptos, sino que reina en ella únicamente el amor y el "sentido de Dios". Es una oración pasiva, no en el sentido de que excluya nuestra actividad, sino porque por nosotros mismos no podemos alcanzarla; por nuestra propia iniciativa. La oración de quietud se realiza bajo la influencia de los dones del Espíritu Santo, por lo que depende exclusivamente de Dios. Nosotros podemos solamente prepararnos para ella. Este estado de oración puede presentarse en diversos grados, dependiendo de cada alma, hasta el grado unitivo, que es la oración de quietud en una intensidad muy fuerte.

Con su presencia, el Señor introduce al alma en un estado de paz profunda. Todas sus facultades se silencian, no percibe a Dios ni con la imaginación, ni con los sentimientos. Es un conocimiento que fluye del interior, es un conocimiento de amor. El amor sobrenatural es una amistad, una benevolencia mutua. Le deseamos el bien al Señor, pero Él nos lo desea mucho mejor y por eso nos atrae a Él. La razón no crea nuevos conceptos, sino que despierta en nosotros el "sentido de Dios", para orientar nuestra vida hacia Él. El alma comprende hasta qué grado Dios, que la abraza, es verdaderamente el Único, incomparablemente majestuoso y superior a todo.

El alma experimenta como una suspensión de todas sus facultades interiores y exteriores, incluso el cuerpo experimenta entonces una paz dulce. La voluntad, atraída a Dios, está tan feliz, que no quisiera ya recobrar su libertad -no puede separarse del Señor. En cambio, la razón puede distraerse y llevar al alma consigo en su vagar, turbando la paz de la voluntad. La memoria le ayuda en este trabajo y el alma puede ceder a la distracción de su atención amorosa en la que la voluntad está sumergida. No obstante, si el Señor atrae al alma más profundamente, entonces la influencia sobre la razón será tan fuerte, que también ella obtendrá la paz.

La oración de quietud puede realizarse durante el tiempo destinado a la oración, como también puede durar y prolongarse a lo largo de todo el día. La voluntad puede estar unida a Dios durante la realización de las ocupaciones ordinarias. Santa Teresa dice que la oración de quietud es la primera oración sobrenatural y todos deberían llegar a ella, aunque no todos llegan a la oración unitiva. (cf. Gabriele di Santa Maria Maddalena, *La via dell'orazione*, Roma 1955, p. 169-181).

Parte II

Dios enamorado de ti

Creer significa "confiarse", como la oveja del Evangelio se confía con toda su limitación, fragilidad y debilidad en Alguien que se le revela a sí mismo como el Buen Pastor que ama hasta el extremo, que llama e invita a la intimidad con Él, a permanecer en sus brazos extendidos en un gesto de amor. Juan Pablo II dice: "**creer es confiar** este yo humano con toda su trascendencia y también con toda su grandeza trascendente, pero también con sus limitaciones, su fragilidad, su condición mortal, a Alguien que se anuncia como principio y fin, y trasciende todo lo creado y lo contingente, pero que, al mismo tiempo, se revela como una persona que nos invita a la convivencia, a la participación, a la comunión." (A. Frossard, "Conversaciones con Juan Pablo II")

1. "ESTABAN COMO OVEJAS QUE NO TIENEN PASTOR" (Mc 6,34)

A quienes reconocen su debilidad e impotencia

y esperan confiadamente todo de Dios el Evangelio los compara con "ovejas que no tienen pastor".

Jesús tiene una actitud especial hacia estas personas,

pues, saliendo al encuentro de sus expectativas,

el Buen Pastor está dispuesto a hacer por ellas

un esfuerzo más, incluso milagros.

Así lo narra San Marcos: "Los apóstoles se reunieron con Jesús y le contaron todo lo que habían hecho y lo que habían enseñado. Él, entonces, les dice: «Venid también vosotros aparte, a un lugar solitario, para descansar un poco.» Pues los que iban y venían eran muchos, y no les quedaba tiempo ni para comer. Y se fueron en la barca, aparte, a un lugar solitario. Pero les vieron marcharse y muchos cayeron en cuenta; y fueron allá corriendo, a pie, de todas las ciudades y llegaron antes que ellos. Y al desembarcar, vio mucha gente, sintió compasión de ellos, pues estaban *como ovejas que no tienen pastor*, y se puso a enseñarles muchas cosas" (Mc 6,30-34).

¡Es sorprendente! Jesús había expresado claramente su voluntad: "venid también vosotros aparte, a un lugar solitario, para descansar un poco" y después ¡cambió una decisión que ya había tomado! En esto fue decisiva la **actitud** de quienes le escuchaban: "Sintió compasión de ellos, pues estaban como *ovejas que no tienen pastor*".

Sin ti me perderé

La actitud de la *oveja que no tiene pastor*,
    actitud de reconocimiento de la propia
impotencia
    y debilidad,
    de la incapacidad para vivir sin el Pastor,
    tiene que ser algo especial a los ojos de Dios.

Imagínate un corderillo recién nacido, que apenas puede sostenerse sobre sus patitas vacilantes, y que mira con sus grandes ojos al pastor, como diciéndole:
    Sabes lo débil y desvalido que soy,
    sabes que sin tu ayuda me perderé,
    que sin ti puedo morir.

Es probable que Cristo notara algo de esa actitud en el comportamiento de las personas a las que les fue tan difícil separarse de Él, que al verle alejarse en la barca, le siguieron. Antes de que Él alcanzara la otra orilla del lago, "fueron corriendo, a pie". Tuvo que haber algo extraordinario en su actitud, ya que Jesús renunció a sus propios planes, porque vio

que estaban muy sedientos
de sus palabras,
de su presencia.
Es necesario que tú también conozcas tu debilidad
y veas que sin Jesús te perderás,
que no puedes vivir sin Él.

La actitud de la *oveja que no tiene pastor* no implica pasividad, al contrario, está llena de dinamismo. Los que escuchaban a Jesús, de quienes escribe San Marcos, fueron muy activos. De hecho, no fue fácil caminar, o tal vez correr por la costa, y adelantarse a la barca de Jesús y los Apóstoles. Hicieron ese esfuerzo sin tener ninguna seguridad de que Jesús todavía quisiera quedarse con ellos. Seguramente tampoco esperaban nuevos milagros, sin embargo, deseaban estar cerca de Él.

La oveja que no tiene pastor **lo busca insistentemente**. Es lo contrario de la *oveja perdida*, que siendo infiel a la voluntad del pastor, se aparta de Él consciente y voluntariamente.

Eres la **oveja que busca al pastor:**
–cuando en estado de aridez y oscuridades te
esfuerzas por rezar,
aunque no sientes la presencia de Dios
–cuando extiendes tus brazos en la
oscuridad, y por medio de la fe
tratas de encontrar y "tocar" a Dios oculto
en ella.

En esos momentos experimentarás tu debilidad espiritual y comprenderás mejor que necesitas ayuda. Y entonces, Jesús echará sus "perlas" delante de ti, incluso aunque antes no "tuviera la intención de hacerlo".

En respuesta a la actitud de aquellos que le
escuchaban,
Él no sólo cambió de decisión,
sino que además realizó un milagro,
el gran milagro de la multiplicación de los
panes,
anticipo de la Institución de la Eucaristía,
presencia milagrosa
del pan Vivo
en la Iglesia.
Gracias a *la actitud de la oveja que no tiene pastor*,
-actitud que "conquista a Dios"-
Él realizará grandes milagros en tu vida.
Te concederá sus gracias especiales.
Te dará incluso las "perlas" evangélicas más valiosas.

La prueba de fe que precede al milagro

Jesús, antes de realizar el milagro de la multiplicación de los panes, puso a los Apóstoles ante una
prueba de fe. Una prueba muy difícil.
Primero les dijo que podrían descansar y comer.
Después de muchas horas de trabajo intenso estaban
muy cansados. A pesar de eso, el Maestro siguió
enseñando durante muchas horas. Y cuando los
Apóstoles estaban aún más cansados y hambrientos,
les indicó: "Dadles vosotros de comer".
"Era ya una hora muy avanzada cuando se le
acercaron sus discípulos y le dijeron: «el lugar está
deshabitado y ya es hora avanzada. Despídelos para
que vayan a las aldeas y pueblos del contorno a
comprarse de comer.» Él les contestó: «Dadles vosotros

de comer.»" (Mc 6,35-37). Dios expresa su voluntad. Les dice que quiere que **ellos** den de comer a aquella multitud. ¡Esto parecía algo totalmente imposible!, pues estaban en un lugar deshabitado y no tenían provisiones. Sólo encontraron cinco panes y dos peces (cf. Mc 6,38).

Cristo pone a los Apóstoles en una situación en la que no pueden encontrar apoyo ni en su razonamiento humano, ni en la experiencia, pues, hasta entonces nunca habían sido testigos del milagro de la multiplicación de los panes.

Tampoco podían apoyarse en las emociones: es muy difícil tener sentimientos positivos cuando se está hambriento y cansado, y precisamente en ese momento, se te exigen cosas completamente imposibles, ilógicas, y hasta absurdas.

Justo cuando los Apóstoles se encontraban en esas condiciones, fueron puestos ante una difícil prueba de fe.

Obedientes a pesar de todo

En la actitud de los Apóstoles, en ese momento, debió de haber algo de *la actitud de la oveja desvalida,* que al experimentar su propia debilidad, espera **todo del pastor.** La situación en la que se encontraban, de alguna manera les obligaba a ello. Seguramente por eso

miraron con una fe tan viva a Jesús,
el Buen Pastor,
y, en contra de la experiencia,
de los sentimientos

y de la razón,
le obedecieron.

Cuando Jesús les indicó que dividieran a la multitud en grupos pequeños y que les dijeran que se sentaran en la hierba, seguramente los Apóstoles sintieron miedo de quedar mal. Tuvo que haber sido para ellos un momento de desgarramiento interior, porque al dar a la gente esa indicación, sabían que la tomarían como una invitación a comer, pues, no se pide a los invitados que se sienten a la mesa si no hay comida que darles. No obstante, los Apóstoles, sin tener en cuenta sus propios sentimientos, siguieron la indicación de Jesús.

Aquél que tenga algo de esta actitud de *la oveja que reconoce*

su impotencia

busca al Buen Pastor,
y cuando lo encuentra
le muestra una confianza total,
escucha su voz **en todo**.
Así se comportaron los Apóstoles.
Fueron obedientes
en contra de la experiencia,
los sentimientos,
y la razón.

Y entonces, como respuesta a esa obediencia de la fe, Dios hace el milagro: "Y tomando los cinco panes y los dos peces, y levantando los ojos al cielo, pronunció la bendición, partió los panes y los iba dando a los discípulos para que se los fueran sirviendo. También repartió entre todos los dos peces" (Mc 6,41).

Dios quiere ser "conquistado" por tu humildad

Este gesto de partir el pan, signo especial de amor, era anuncio de la Eucaristía, instituída por Jesús el Jueves Santo.
Cuando conozcas mejor tu propia debilidad
y tomes conciencia
de que no eres capaz de vivir
sin Jesús,
el Buen Pastor,
podrás descubrir más
la profundidad del misterio Eucarístico.
A través del milagro de la multiplicación de los panes, Jesús te dice:
«sé semejante a estos que me escuchan,
y recibirás aun aquellas gracias
que ni siquiera eres capaz de imaginar.
Me mueves a hacer milagros, incluso
los más grandes.
Con esa actitud me "conquistas"
y Yo quiero ser "conquistado" de esta forma
por ti.»
La actitud de la oveja que no tiene pastor abre el tesoro de la Divina Misericordia.
Gracias a esta actitud, Dios podrá comunicarte las gracias más valiosas:
recibirás las "perlas"
que te permitirán aprovechar plenamente la Santa Misa,
la Comunión,
el Sacramento de la Reconciliación,
la Adoración al Santísimo Sacramento
y la oración.

Cuando la oveja "se convierte" en puerco

La actitud de la oveja desvalida no es algo constante en nuestra vida. Al contrario, permanecer en ella exije una especial vigilancia interior. Es paradójico: cuando eres obsequiado con las perlas más valiosas ¡estás en peligro!, pues te expones a la tentación del orgullo, a la que es muy fácil sucumbir.

Así sucedió con los que escuchaban a Jesús. Estaban tan seguros de sí mismos después del milagro de la multiplicación de los panes, que trataron de "manipular" a Dios: decidieron tomar por la fuerza a Jesús. San Juan lo describe: "Al ver la gente el signo que había realizado, decía: «Este es verdaderamente el profeta que iba a venir al mundo». Sabiendo Jesús que intentaban venir a tomarle por la fuerza para hacerle rey, huyó de nuevo al monte él sólo" (Jn 6,14-15).

¡Qué rápido se cerraron a Dios!

¡Qué gran orgullo debió nacer en ellos!

Querían **tomar por la fuerza** a Jesús,

y decidir lo que tenía que hacer en contra de su voluntad.

Sin darse cuenta, pasaron de la actitud de *la oveja que no tiene pastor*

a la actitud de los orgullosos puercos del evangelio

que pisotean las perlas preciosas,

de los puercos que, sin tener en cuenta a nadie,

quieren imponer su voluntad,

incluso al Pastor.

Al principio estaban tan abiertos a Jesús, lo necesitaban tanto..., pero cuando vieron el milagro de la multiplicación de los panes, supieron que Jesús podría remediar todas sus necesidades, dejaron de sentirse débiles y desvalidos, y se sintieron fuertes, se volvieron orgullosos.

Y entonces el Buen Pastor se alejó de ellos.

No se echan perlas delante de los puercos (cf. Mt 7,6) dice Cristo en el Sermón de la Montaña. Mientras haya en nosotros algo de la actitud de los puercos, que son orgullosos y se fían de sí mismos, estaremos cerrados a la presencia de Dios entre nosotros. En este estado no somos capaces de reconocer, ni de recibir siquiera las "perlas" más valiosas.

Por eso no aprovechamos plenamente la Santa Misa,
la Comunión,
la Confesión,
la Adoración al Santísimo o la meditación,
porque la actitud de los puercos del evangelio cierra a la gracia.

Trata de permanecer en la actitud de la *oveja desvalida*, porque si no, cuando Dios quiera obsequiarte especialmente, considerarás que las "perlas" recibidas son tuyas. Y al apropiarte de los dones de Dios te conviertes en el puerco del evangelio.

La actitud de la *oveja que no tiene pastor* debería convertirse en el programa de tu vida.

Cuando contamos sólo con nosotros mismos

También hubo un cambio semejante en la actitud interior de los Apóstoles:

Jesús "obligó a sus discípulos a subir a la barca y a ir por delante hacia Betsaida, mientras él despedía a la gente. Después de despedirse de ellos, se fue al monte a orar. Al atardecer, estaba la barca en medio del mar y él, solo, en tierra. Viendo que ellos se fatigaban remando, pues el viento les era contrario, a eso de la cuarta vigilia de la noche viene hacia ellos caminando sobre el mar y quería pasarles de largo" (Mc 6,45-48).

Los Apóstoles, que antes del milagro de la multiplicación de los panes estuvieron tan abiertos y obedientes, después también se cerraron a Jesús. Al tener que luchar con el viento en contra, trataron de superar por sí mismos las dificultades y de vencer por sus propias fuerzas las olas que se encrespaban. Habían perdido la actitud que tenían cuando Jesús les dijo: "Dadles vosotros de comer".

Entonces esperaban todo de Dios.

Ahora no.

Si hubiesen tenido la actitud de impotencia y confianza, Jesús, que de hecho **quería ayudarles**, inmediatamente se habría aparecido y habría calmado las olas.

Pero Él "quería pasarles de largo".

¿Por qué?

Tal vez porque ya había en ellos algo de la actitud de los puercos del Evangelio que no necesitan a Dios, porque quieren ser su propio dios.

Los Apóstoles desperdiciaron el milagro de la

multiplicación de los panes: "no habían entendido lo de los panes, sino que su mente estaba embotada" (Mc 6,52). Desperdiciaron también la gracia de la actitud de la *oveja que no tiene pastor*, que se les había concedido. Seguro que también los Apóstoles eran propensos a contar sobre todo
con ellos mismos,
y entonces resulta muy difícil el reconocimiento
de la propia debilidad.
Sin embargo, Jesús no les abandona a sus propias fuerzas. Quiere ayudarles a que se den cuenta de su actitud inapropiada. Por eso, a pesar de querer pasarles de largo, se hace visible para ellos.

Aunque sólo sea una súplica miserable

"Pero ellos, viéndole caminar sobre el mar, creyeron que era un fantasma y se pusieron a gritar, pues todos le habían visto y estaban turbados" (Mc 6,49 50).

Los discípulos comenzaron a tener miedo. Probablemente no se trataba de temor de Dios, sino de simple miedo humano. Pero, en medio de esta confusión y miedo, empezaron a llamar a Jesús.

Algo, entonces, cambió en su actitud.

Porque le llamaron, Jesús responde de inmediato, apareciendo en su barca para socorrerlos.

A pesar de que era una súplica miserable y angustiosa, causada principalmente por el miedo, Jesús respondió. "Subió entonces junto a ellos a la barca, y amainó el viento" (Mc 6,51).

No basta con ponerse delante de Dios con la actitud de *la oveja que no tiene pastor* sólo en situaciones especialmente difíciles.

Es necesario que **continuamente** reconozcas tu propia debilidad
y tu nada,
   que **continuamente** te acuerdes
   de que te perderás
si no confías en el Buen Pastor.

Sólo cuando tu vida
sea un continuo **permanecer** en la actitud de
la *oveja que no tiene pastor*, **así, débil y pecador como eres,**
Dios te hará capaz de aprovechar
                   sus gracias más valiosas,
sobre todo, la gracia de la Eucaristía y
del Sacramento de la Reconciliación.
Y ellas te **transformarán.**

2. LA IMPOTENCIA DE LA OVEJA QUE NO TIENE PASTOR

Una característica especial de *la oveja que no tiene pastor* es que es desvalida. Imagínate un rebaño de ovejas que sigue las huellas de su pastor. En algún lugar al final, cojeando y arrastrando sus patas lentamente y con mucha dificultad, va la última de ellas. Las demás ovejas corren detrás del pastor, y ésta, a pesar de que también desea ser obediente, siempre se queda al final. Cuando el pastor llama a las ovejas, aquellas que le son obedientes y fieles rápidamente echan a correr y se quedan junto a él. Esta última oveja, aunque también tiene buena voluntad, siempre se queda al final, lejos del pastor, porque no tiene fuerzas y nada le sale bien. Cojeando y cayéndose, únicamente intenta seguir al pastor.

Aquella cuya impotencia llega al extremo

Tal vez para ti esta oveja que cojea, que se cae y que arrastra los pies por el suelo, es una imagen familiar, que conoces por experiencia propia. Tal vez te sea difícil afirmar que corres o que caminas detrás de Cristo. Tal vez te sientes más bien como alguien que se arrastra, o que solamente desea arrastrarse.

Eres como *la oveja que no tiene pastor, la oveja desvalida.*
Las ovejas débiles y desvalidas
llegan al lugar del encuentro con Jesús mucho más
tarde que las demás.
¡Pero llegan!
Y reciben un gran premio: están junto al Buen Pastor,
tal vez incluso son las que más cerca están.
La oveja desvalida **quiere** seguir a Jesús,
a pesar de que nada le sale bien,
y de que los esfuerzos que realiza no dan resultado.
Cree que el Buen Pastor ve su deseo de seguirle,
su esfuerzo por avanzar por lo menos algunos pasos.
Cree que a sus ojos no es importante
cuánta distancia logre recorrer,
sino lo grande que sea su deseo y su esfuerzo
por serle obediente.
Pero ¿qué pasa si esta oveja que se arrastra
comienza a dudar de que el Buen Pastor la ama y la
espera? Entonces ocurre algo terrible:
la oveja se queda quieta y "contempla" su incapacidad,
se encierra en sí misma y desconsolada permanece
en la tristeza
y la desesperanza.
Sin embargo este sufrimiento es culpa suya.
Permanecer en la tristeza nunca será una actitud
correcta.
El Buen Pastor está esperandote.
Entonces ¿por qué te detienes?
No tiene importancia alguna
que las demás vayan delante de ti,
ni que estén ya cerca del Pastor.
No importa que desde el punto de vista humano
no haya esperanza de que algún día llegues a estar

junto a Él.

No te dejes guiar demasiado por tu propia razón.
Tienes que empezar a guiarte por la lógica de Dios.
Solamente Él conoce el valor del "galope" de la oveja
que se arrastra.

Siguiendo los pasos de Aquella
que era un abismo de impotencia y confianza

Si quieres ir hacia Dios por el camino de la oveja
desvalida, no tendrás que esforzarte por ser como las
águilas[11]. En este camino puedes imitar al modelo
supremo de santidad, a Aquella que lo único que quiso
fue ser la esclava del Señor.

La Virgen María realizó la actitud de la *oveja
desvalida* de una manera perfecta. Ella era la que mejor
sabía que sin Dios nada podía; era a sus propios ojos
como un **abismo**[12] **de impotencia** y, al mismo tiempo,
un **abismo de confianza en Dios**.

Cuando tú también comiences a imitar a María, a
través del reconocimiento de tu propia debilidad y de
ansiar confiadamente ver al Buen Pastor, invisible para
ti, podrás seguirle con perseverancia y vivir de la
esperanza de que Él cuidará de ti aunque seas la última.

Esta actitud atrae a Cristo.

Así, pues, cuando a ejemplo de María
comiences a ser un abismo de impotencia y
confianza,

---

[11] Cf. Santa Teresita del Niño Jesús, *Obras Completas, Manuscrito
"B", IX, Mi vocación: el amor*

[12] Cf. cita 2 p. 21.

Dios te llenará
con el abismo de su misericordia.
Porque el "abismo (…) llama a otro abismo"
(Sal 42,8).

Vivir la oración de la oveja desvalida

La actitud de la *oveja desvalida* no se convertirá en
algo permanente en tu vida sin oración, sin la oración
de la *oveja desvalida*.
Si quieres vivir esta forma de oración,
trata de ponerte confiadamente ante Dios
con la conciencia de tu flaqueza
        o incluso de tu debilidad total:
Aquí estoy Señor,
arrastrándome al final,
porque soy el peor.
Sin embargo, yo creo
que Tú me estás esperando
y que me amas.
Señor,
moriré
si me abandonas,
si no me tomas en tus brazos.
Sin ti para nada sirvo,
sin ti no puedo vivir.
Esta oración no tiene que ir acompañada por
el sentimiento de que Jesús te toma en sus brazos, ni de la conciencia de que como *oveja desva-*
lida eres obsequiada con las "perlas" de sus gracias especiales. Aunque esto realmente puede
suceder, es mejor que El te lo oculte, para que no

puedas apropiarte de las "perlas" que te fueron obsequiadas.

Lo mejor sería que al orar, ni siquiera sintieses
tu propia indigencia.

Cuando te encuentres en este vacío,
sin sentimientos ni vivencias,
sin ni siquiera saber si Dios está o no,
queriendo sólo creer
que estás delante de Aquel que te ama,
aunque la palabra "ama" pueda parecerte también
extrañamente vacía,
es entonces cuando empezará a realizarse
la transformación de tu vida interior.
Sin embargo, es importante que formes en ti la actitud
de humildad.
No pienses que como permaneces delante de Dios
en un vacío interior,
es seguro que Él te llenará de sí mismo.
No se puede "manipular" a Dios.
Dios no está obligado a venir a ti de una manera
tan especial.
Y si viene,
acuérdate de no apropiártelo.
Podrías sentirte entonces la oveja fuerte,
a la que Él tendría que abandonar.
Trata de empezar el día con la oración de la *oveja
desvalida*. Arrodíllate delante del Señor, en presencia
de Jesús crucificado, o delante de alguna otra imagen
suya. Reza con la oración de las manos vacías o sólo
con la mirada puesta en la cruz, permaneciendo en la
presencia de Jesús con la actitud de la *oveja desvalida*.

Esta oración también debería acompañar los últimos minutos de tu día.

No obstante, acuérdate de que para responder a la llamada de Cristo:
"Velad y orad" (Mc 14,38),
no puedes contar con tus propias fuerzas,
porque en vez de orar, dormirás,
como los Apóstoles en el Huerto.

Vas la última, arrastrándote, tu oración es tan pobre, acompañas a Jesús de un modo tan miserable...
¡Eso no importa!
Lo esencial es que **pongas en Él toda tu esperanza**, y le sigas, incluso aunque estés lejos de Él.
Cuando, en respuesta a tu actitud, Dios te llene de sí mismo,
entonces,
en la medida en que permanezcas en la actitud de la *oveja desvalida*,
que todo lo espera del Pastor,
Él mismo podrá vivir en ti
y actuar a través de ti.
Gracias a la actitud de la *oveja desvalida* irás descubriendo
cada vez mejor
tu flaqueza,
tu incapacidad
y tu miseria espiritual,
y también la verdad de que Dios ama al pecador de una forma especial,
la verdad sobre la oveja perdida que el Pastor lleva sobre sus hombros.

3. LA OVEJA PERDIDA EN HOMBROS DEL BUEN PASTOR

La llamada a la unión con Dios
                siempre nos superará.
Es un llamamiento a vivir en la verdad
y a abandonarnos
en Él.
La respuesta adecuada consiste en reconocer
la propia pecaminosidad,
impotencia,
y debilidad,
pero, sobre todo,
en **confiar en el amor misericordioso de Dios.**
Conquistamos el corazón del Buen Pastor sólo con nuestro abandono confiado en Él.

El conocimiento progresivo de nuestra debilidad y miseria espiritual, puede conducirnos al desánimo. Para vencerlo vale la pena reflexionar sobre la parábola de la oveja perdida: "Todos los publicanos y los pecadores se acercaban a él para oirle. Los fariseos y los escribas murmuraban, diciendo: «Este acoge a los pecadores y come con ellos». Entonces les dijo esta parábola: «¿Quién de vosotros que tiene cien ovejas, si pierde una de ellas, no deja las noventa y nueve en el desierto, y va a buscar la que se le perdió hasta que la encuentra? Cuando la encuentra, se la pone muy contento sobre los hombros y, llegando a casa, convoca a los amigos y vecinos, y les dice: 'Alegraos conmigo, porque he hallado la oveja que se me había perdido'. Os digo que, de igual modo, habrá más alegría en el cielo por un solo pecador que se convierta que por noventa y nueve justos que no tengan necesidad de conversión»" (Lc 15,1-7).

Dios te ama más ahora que antes de la caída

El desánimo, la tristeza y la desconfianza nos dominan a menudo después de pecar, e incluso cuando, aún sin pecar, nos damos cuenta de lo pecadores que somos. Estos sentimientos, al influir en cierta medida en la esfera de la voluntad, claramente detienen el desarrollo de la vida interior. Son expresión de falta de fe y de actitud de abandono.

La tristeza en el ámbito de la voluntad es también señal
de falta de gratitud a Dios por sus gracias.
Y un corazón ingrato se cierra a Dios.
Él quiere obsequiarte continuamente,
pero la ingratitud crea una barrera entre tú y Él.

Cuando pecas
o te entristeces,
no confías en Dios
y no eres agradecido,
te conviertes en la *oveja perdida*.

¿Qué hace entonces el Buen Pastor?

Responde a tu infidelidad

> buscándote,
> y en cuanto le muestras tu contrición,
> te toma en sus brazos,
> mostrándote con este gesto, que ya te ha
perdonado.
> Él quiere que sepas
> que en ese momento te ama
> incluso
> más
> que antes de la caída.
> Que en ese momento te ama muchísimo más.

Cuando el padre da la bienvenida al hijo pródigo, dice "daos prisa; traed el mejor vestido y vestidle" (Lc 15,22). El hijo pródigo reconoció su pecado, y el padre bueno respondió ordenando que le trajeran el **mejor** vestido. Por lo tanto, aquel hijo que vuelve recibe lo **máximo**.

Esto mismo expresa el gesto del Buen Pastor al poner sobre sus hombros a la oveja que ha encontrado.

Santa Teresita del Niño Jesús dice que después de confesar ante Dios nuestra culpa "Él nos ama todavía más que antes de nuestra caída"[13].

Así que, no cedas a la **tentación** de la tristeza causada por el mal que ves en tu vida.

Lo más importante es la **contrición** y la fe en el amor de Dios.

Dios *quiere* perdonar.

Su mayor deseo es manifestarnos su
> amor misericordioso.

---

[13] Cf. Santa Teresita del Niño Jesús, *Consejos y Recuerdos*, Monte Carmelo, Burgos 1957.

Si eres un pecador que te conviertes,
tienes un derecho especial a su amor,
amor extraordinario
que te expresa
inclinándose continuamente sobre el abismo
de tu debilidad y de tu nada.

La fuente del perdón

Recuerda, sin embargo, dónde está la fuente del infinito
perdón de Dios.
No olvides que Dios,
para darte derecho a él
y obsequiarte con su máximo amor e inmensa
ternura,
muere en su Hijo por ti en la cruz.
Él mismo se entrega por ti.
Este es un gran misterio, el misterio del amor de Dios,
cuyo signo es la **Cruz**. Nuestro derecho al amor de Dios
que perdona, fluye del Sacrificio Redentor de Cristo
en la Cruz.
No puedes olvidar
que Jesús, que te lleva en sus brazos y te abraza,
tiene las marcas de las heridas que tú le hiciste;
que su cabeza, herida por la corona de espinas,
sangra,
sangran también sus pies y manos heridos,
sangra su Corazón traspasado por la lanza.
Cada Misa te lo recuerda,
al hacerse presente el Sacrificio Redentor.

Alégrate por el perdón.

Pero no caigas en el otro extremo de menospreciar los pecados. Esto sería algo indigno. Y no solamente en lo que se refiere a los pecados graves, sino también a los pecados veniales y a las imperfecciones.

Sin embargo, incluso aunque hieras a Dios muy dolorosamente cometiendo un pecado mortal, es suficiente con tu contrición para que el Buen Pastor te "ponga sobre sus hombros". Después de pedirle perdón debes acudir al Sacramento de la Reconciliación lo antes posible. Cristo en este sacramento, como respuesta a tu contrición y a tu fe en su amor, te dará su perdón a través del sacerdote. Pero, en caso de que por alguna razón objetiva, la confesión te fuera imposible, Él -condicionalmente- te perdonará por tu arrepentimiento y tu confianza en su misericordia.

La **contrición perfecta**
puede aparecer en tu vida interior
cuando comprendas mejor el sentido de la parábola de la oveja perdida.

Entonces ya no te arrepentirás por miedo al castigo,
sino, porque con tu pecado o con tu infidelidad has herido a Dios,
porque has sido infiel a Aquel que desea habitar en tu corazón,
y que continuamente te manifiesta su amor especial,
su amor que perdona.

Esta contrición te purificará de tus culpas.

Pero para que esto sea posible, se necesita la gracia. Sin embargo, hay que confiar en que Dios la concede cuando el pecador se arrepiente de haber menospreciado el amor del Buen Pastor. Y en ese mismo momento puede aparecer en el alma, en cierta medida, la contrición perfecta.

Sólo en la vida futura conocerás
toda la profundidad del misterio del amor de Dios que perdona,
y cuyo signo es la **cruz**.
Sin embargo, en esta vida,
este misterio te acompañará en todas las etapas
de la vida interior.
En medio de las oscuridades
la cruz
siempre será para ti
un **faro luminoso**,
al que podrás volver continuamente.
Esos serán tus retornos a la fuente
de la que brota tu derecho a ser perdonado.
Otra forma de cerrarnos al perdón puede ser permanecer en la tristeza, el desánimo y la desconfianza. Sucumbir a estos sentimientos es una expresión de falta de confianza.

Tu mayor tragedia sería que no quisieras recibir el perdón de Dios.

Dios quiere las consecuencias del mal

La parábola de la oveja perdida dice también que

Dios no quiere el pecado,
porque nuestros pecados "clavaron" a su Hijo en la cruz.

Sin embargo, quiere las consecuencias del pecado:

la contrición por el mal cometido,
y el conocimiento de su amor que perdona.
Por medio de su perdón,
Dios desea obsequiarnos con su **inmenso**
amor,
así que, si con ello no se ofendiera a Dios,
habría que pecar con la mayor frecuencia
posible,
para poder ser llevados en los brazos
del Buen Pastor.

Santa Teresita del Niño Jesús afirmó algo semejante al decirle a su hermana Celina: "Habríais de alegraros de caer, porque, si cayendo no hubiera en ello una ofensa a Dios, habría de hacerse expresamente a fin de humillarse"[14]. Aquí se habla de "aprovechar" el pecado con el fin de **conocer la propia miseria**[15]. El pecado puede ayudarnos también a **descubrir la profundidad de la misericordia de Dios.**

Santa Teresita nos enseña otra forma más de aprovechar el pecado: como una ocasión para **ofrecer a Dios las consecuencias desagradables de las caídas.** Poco tiempo antes de su muerte, su hermana Paulina le confió su tristeza y desánimo después de haber cometido una falta. Teresita le contestó: "Yo procuro no desalentarme jamás. Cuando cometo una falta que me entristece, sé muy bien que esta tristeza es consecuencia de mi infidelidad. Pero, ¿crees que me quedo afligida? ¡Oh, no! me apresuro a decir al buen Dios: Dios mío, sé muy bien que he merecido este sentimiento de tristeza: pero permitidme que os lo

---

[14] Santa Teresita del Niño Jesús, *Consejos y Recuerdos,* Monte Carmelo, Burgos 1957, p. 30.
[15] Cf. Ibid pp. 21-24

ofrezca como una prueba que vos mandáis por amor. Me arrepiento de mi falta, pero me siento feliz de poderos ofrecer este sufrimiento que he experimentado"[16].
Aceptando el sufrimiento, consecuencia de tus pecados,
procura ofrecer lo que experimentas al Buen Pastor que sale a tu encuentro.

No puedes apoyarte en tí mismo

Sólo durante las etapas iniciales de la vida interior, el sentimiento y la comprensión te acompañarán al meditar el Evangelio. Más adelante, únicamente podrás conocer el mensaje de Cristo a través de la fe.

Al meditar la parábola de la oveja perdida puedes, por ejemplo, recibir el mensaje del amor del Buen Pastor en la esfera de los sentimientos y las emociones; otras veces a través del razonamiento intelectual. Sin embargo, también puede suceder que no sientas ni entiendas nada, entonces podrás recibir las palabras de Jesús únicamente por medio de la fe.

Después de cada pecado, cuando pides perdón a Dios y te ves amenazado por la tentación de la tristeza, puedes tratar de imaginar, en el ámbito de los sentimientos y emociones, que Jesús te lleva en sus brazos.

En otra etapa de la vida interior, cuando los sentimientos desaparecen y surge la aridez, ya no serás capaz de imaginar ni de sentir que eres llevado en sus brazos. Entonces, puedes repetir durante algún tiempo

---

[16] Santa Teresita del Niño Jesús, *Obras Completas, Novissima Verba* del 3 de Julio de 1897, Casulleras, Barcelona 1963, p. 396.

una breve oración como ésta: *Te doy gracias Jesús, porque me llevas en tus brazos.* Cuando repitas estas palabras varias veces, al fin puede despertarse en tu corazón la conciencia de que verdaderamente Jesús te lleva en sus brazos. Pero, no debes apoyarte demasiado en los conocimientos así adquiridos. Dios puede también oscurecer tu memoria y tu razón. Cuando recibas el mensaje del Evangelio deberías abandonarte a la gracia que Él, cuando quiere, te concede.

Tratar de recordar después de cada caída que Jesús te lleva en sus brazos cuando le muestras arrepentimiento, sería apoyarse demasiado en la propia memoria y una expresión de riqueza espiritual. En el camino a la santidad tendrías que ser purificado de ella.

Dios mismo te recordará su mensaje de amor.
Te otorgará esa gracia con tanta más abundancia,
cuanto más pobre de espíritu seas.
Y cuanto más profundamente comprendas
que, por tus propias fuerzas,
no eres capaz,
ni siquiera de acordarte de lo que Dios alguna vez
te permitió saber.

Con la mirada fija en la Cruz

Procura ponerte con frecuencia ante la Cruz. Entonces conocerás más profundamente el misterio del perdón de Dios; la magnitud del misterio del Sacrificio

Redentor de Cristo nos permite imaginar el grado del mal del hombre.

Si adoraras la cruz
reconociendo tu mal,
el Crucificado te estrecharía contra su Corazón herido.

Procura ponerte al pie de la cruz junto a María
y pídele a Ella que te enseñe
cómo debes adorar a su Hijo crucificado.

La Virgen María al pie de la cruz reconocía su propia nada, aunque estaba libre de pecado. Jesús la "estrechaba" contra su corazón no como respuesta a la contrición por sus pecados, sino movido por su humildad.

La Redención de Cristo incluye también a María. Gracias a la Redención ella fue preservada del pecado. Se puede decir, en cierto sentido, que Dios la perdona anticipadamente, preservándola de todas las caídas. Y, si la perdona, también la toma en sus brazos, como el Buen Pastor a la oveja perdida.

María vivió consciente de su nada,
consciente de que Dios continuamente la preservaba del pecado.

Esto nos lo muestra el Magníficat y otros fragmentos del Evangelio.

Por eso siempre era humilde,
confiada,
agradecida.

En respuesta a esta actitud,
Dios le manifestaba continuamente **su inmenso amor**,
y Ella lo recibía con todo el corazón.

Los pecados de los que Dios nos preserva continuamente

Dios también nos perdona anticipadamente muchos pecados, al preservarnos de ellos por el poder del Sacrificio de Cristo. Santa Teresita del Niño Jesús decía: "...sólo la Misericordia de Dios me preservó de hacerlo... Reconozco que, sin Él, habría podido caer tan bajo como santa María Magdalena, y las profundas palabras de Nuestro Señor a Simón resuenan con gran dulzura en mi alma...Lo sé muy bien: «al que poco se le perdona, poco ama.» Pero sé también que a mí Jesús me ha perdonado mucho más que a santa María Magdalena, pues me ha perdonado por adelantado, impidiéndome caer"[17].

Cuando damos gracias por haber sido preservados de los pecados
en virtud del Sacrificio de Cristo
aprovechamos la gracia especial del amor de Dios, un amor que perdona.

Por lo tanto, deberíamos dar gracias a Dios,
no sólo porque nos perdona los pecados cometidos,
sino también porque nos preserva de otros muchos.
Si Él no lo hiciera,
sin duda los cometeríamos.
Sin la protección de Dios podríamos cometer todos los pecados posibles.
De hecho, Jesús dice: "separados de mí no podéis hacer nada" (Jn 15,5).

Se puede decir que al perdonarnos los pecados de los que fuimos preservados, Jesús lo hace con el

---

[17] Teresa de Lisieux, *Obras Completas; 3°Edición, Burgos 1998*, Ed. Monte Carmelo, Cap. IV, p. 151.

mismo gesto: nos toma en sus brazos para manifestarnos su **inmenso** amor.

4. CONFIAR, COMO LA CANANEA

Cuando, al conocer nuestra miseria espiritual, veamos que en lugar de avanzar por el camino hacia la santidad nos detenemos, o que vamos por un camino ancho en sentido contrario y nos convertimos en escándalo para otros, sólo podremos ser preservados de la tristeza y del desánimo invocando ardientemente la Misericordia de Dios.

Grandes pecadores, llenos de la propia visión del mundo

Conforme vamos creciendo en la vida interior, comenzamos a ver, cada vez con más claridad, aquellas infidelidades que quizás antes nos pasaban inadvertidas. Incluso, aunque ya no cayéramos en nuestros pecados anteriores, el sentimiento de desánimo causado por nuestra pecaminosidad podría intensificarse. En la medida en que crecemos en la vida interior dejamos de prestar atención
a los pecados que antes eran más visibles
y pasamos a ponerla
en los que externamente parecen poco importantes
e inocentes,
y que en realidad son aquel "camello" del

que habla el Evangelio

(cf. Mt 23,24).
Conocerás, por ejemplo, que por concentrarte en
ti mismo
y pensar humanamente
dices "no"
a Dios, que tiene sus propios planes para ti.

Debería surgir la conciencia de una gran infidelidad
en quien sólo responde mínimamente a las expectativas
de Dios, que le obsequia de una forma tan singular.
Externamente esta persona puede parecer mejor que
otras. Pero, puede tener la conciencia de que merece
un largo y severo purgatorio, o incluso la condenación.
Ve que está cerrado a las gracias con las que Dios le
obsequia y que se concentra en sí mismo. Lo ve, y
reconoce que es uno de los mayores pecadores. ¿Por
qué? Porque vivir de las **propias** visiones y sueños,
impide a Dios realizar **sus** planes. Además, las
consecuencias de nuestra cerrazón pueden ser trágicas,
y afectar también a muchas personas. El mal que de
esta forma se puede ocasionar es tanto mayor cuantas
mayores sean las expectativas de Dios a las que no
respondemos. Esta conciencia puede ser agobiante,
pero al mismo tiempo puede movernos
a reconocer nuestro mal,
a suplicar a Cristo su misericordia,
aún con mayor intensidad.

Cuando la aspiración a la santidad parece algo completamente irreal

Cuando la conciencia de tu pecaminosidad comience a abrumarte mucho, la fe en la misericordia de Dios te puede resultar particularmente difícil. Entonces, la aspiración a la santidad te parecerá algo completamente irreal. Aparecerán fuertes tentaciones de instalarte cómodamente en la vida y de adherirte al mundo. Y, si te falta fe en que Dios te ama a pesar de tu mal, comenzarás a sucumbir a ellas.

Pero, de hecho, al mostrarte cada vez más tu pecaminosidad,
Dios quiere animarte a confiar más en Él.

Si no lo logras, querrás calmar tu abatimiento buscando un sustituto de la paz interior y del sentimiento de seguridad. Comenzarás a vivir, de nuevo, del espíritu de este mundo. Y tu egoísmo te sugerirá:
"Tienes que descansar y cuidarte,
eres de carne y hueso,
no puedes preocuparte tanto ni 'agotarte' así".
En cambio, si en ti hubiera una confianza hasta la locura, no te volverías hacia los placeres de este mundo al experimentar tu miseria. Tratarías de adherirte **todavía más** a Cristo. Y acogerías las situaciones en las que descubres que tu mal te sitúa entre los peores como una llamada a confiar ilimitadamente en la misericordia de Dios.

La confianza de la Cananea

La cananea, presentada en el Evangelio de forma tan extraordinaria, nos enseña elocuentemente esta actitud de confianza:

"Una mujer cananea, que había salido de aquel territorio, gritaba diciendo: «¡Ten piedad de mi, Señor, hijo de David! Mi hija está malamente endemoniada.» Pero él no le respondió palabra" (Mt 15,22-23).

A pesar de su insistente súplica, Jesús le niega su ayuda. Sin embargo, ella no se desalienta por eso, y sigue pidiendo con insistencia. De esta forma expresa su gran confianza.

Una persona orgullosa y de poca fe se habría desanimado inmediatamente. Se habría dicho a sí misma:

"Si callas y no me haces caso,
es que me consideras indigno y me rechazas,
así que me iré".

Muchos se comportan así:
cuando son puestos a prueba,
cuando les parece que Dios guarda silencio
(aunque el silencio de Dios siempre es aparente)
se apartan
para buscar satisfacer su nostalgia de amor en otra parte.

Pero, de hecho, Dios,
incluso cuando no nos responde visiblemente,
espera que confiemos en Él
y que le llamemos aún con mayor fervor.

La reacción a una negativa aparente

La Cananea pidió una gracia espiritual para su hija. La negativa absoluta de Jesús podía haberle parecido carente de misericordia. Si hubiera visto esa situación sólo desde el punto de vista humano seguro que se hubiera ido desanimada y desilusionada. Pero ella veía y pensaba a la manera de Dios. Por eso, a la negativa de Cristo responde con una confianza aún más profunda y con una súplica más ferviente. Cae de rodillas ante Él y le ruega: "«¡Señor, socórreme!»" (Mt 15,25).

Dios quiere que le pidamos, de hecho Jesús dice: "Pedid y se os dará" (Lc 11,9).

Con su comportamiento, la Cananea le confesó a Cristo: sé que soy polvo y nada, que nada merezco, pero... "¡Señor socórreme!". Te lo pido, porque creo en tu omnipotencia y en tu misericordia.

Sin embargo, también esta vez recibió categóricamente una respuesta negativa: "No está bien tomar el pan de los hijos y echárselo a los perritos" (Mt 15,26).

La profundidad de la humildad y de la fe

Jesús, como queriendo comprobar la humildad de esta mujer, la compara con un perrito.
Y ella, sin dudarlo un momento, ¡acepta este "insulto"!
Con sencillez reconoce que realmente no es digna, pero "también los perritos comen de las migajas que caen

de la mesa de sus amos" (Mt 15,27).

A nosotros, que somos orgullosos, este comportamiento de Jesús nos habría cerrado a Él totalmente. Hubiéramos estado dipuestos a "defender nuestro honor" a cualquier precio. En cambio la cananea se comportó de forma completamente distinta:
no reclama sus derechos,
sino que con una profunda humildad
se decide a un acto de **confianza sin límites**,
que brota del auténtico reconocimiento de la propia nada
e impotencia.
"«Mujer, grande es tu fe»" (Mt 15,28). Estas palabras de Jesús expresan su admiración ante tal actitud. Por eso atiende la petición de la cananea: "«que te suceda como deseas»" (Mt 15,28).

El reconocimiento de la propia nada, la confianza de niño en Dios y la fe en su amor, conforman la actitud que hace posible el milagro.

Si parece que Dios no responde a tus súplicas, tienes dos posibilidades:
– puedes desanimarte y buscar consuelo en las cosas del mundo,
– o percibir en el silencio de Dios un incentivo
para suplicar aún con mayor fervor y
para confiar más.
Cuando reconozcas tu propia indignidad y veas que continuamente desperdicias las gracias que se te conceden, no te desalentarás ni te desanimarás por la aparente falta de respuesta de Dios a tu súplica. Reconoce ante Dios la verdad sobre ti mismo, y no dejes de suplicarle.

Si Dios se niega, incluso rotundamente, lo hace para tu salvación, quiere que tu fe llegue hasta la locura y que tu confianza sea ilimitada. Cuando te liberes de pensar humanamente, vivirás tus experiencias espirituales, incluso las más difíciles, como las vivieron los santos. Por ejemplo, santa Juana de Arco no dejó de confiar en Dios aún después de haber sido condenada por el tribunal de un Obispo. La razón pudo haberle sugerido que había sido rechazada por la Iglesia y, por lo tanto, por Dios. De hecho, era una persona muy sensible que atravesaba en ese momento por oscuridades espirituales. Ella, sin embargo, no dudó.

Nunca dudes de la misericordia de Dios

Dios somete a pruebas muy difíciles a los que ama de forma excepcional. En esas situaciones jamás deberías dudar de su misericordia. Aunque el mismo Cristo se te apareciera y te dijera que no la mereces, deberías seguir suplicándola, incluso en el caso en que tu confesor habitual te negara la absolución, y la posibilidad de perdón que está vinculada con ella.

La beata Ángela Salawa[17] fue puesta en esta

---

[17] Ángela Salawa nació en Siepraw, Polonia, el 9 de Septiembre de 1881 y murió en Cracovia el 12 de Marzo de 1922. Fue beatificada por el papa Juan Pablo II en 1987. En un breve resumen, podemos decir que Ángela trabajó desde 1897 hasta 1917 como empleada doméstica en Cracovia y que durante los últimos años de su vida vivió en un cuarto, sufriendo varias dolencias que la impedían incluso salir de casa. Pertenecía a la orden Terciaria

prueba cuando su Director Espiritual le negó el sacramento de la reconciliación públicamente, ante mucha gente[18]. Con su sensibilidad y la conciencia de

Franciscana y a varias asociaciones religiosas. Su vida estuvo marcada por una fe heroica, por la aceptación del sufrimiento, amor a Dios y al prójimo y un constante deseo de cumplir en todo la voluntad de Dios. Incluso las personas de las clases sociales más altas sentían por ella una gran admiración y respeto, aunque otros le manifestaban actitudes de desdén y sospecha. A consecuencia del acontecimiento que a continuación se relata, y que ocurrió también con otras personas, la salud de Ángela se debilitó más y ella comenzó a pasar la mayor parte de su tiempo recogida en su cuarto en oración, en una creciente unión con Dios y cada vez más desapegada de este mundo.

[18] Debido a las continuas quejas porque Ángela se confesaba durante mucho tiempo y le quitaba innecesariamente el tiempo al sacerdote, y por los chismes malintencionados y murmuraciones, su confesor fijo, el Padre Estanislao Chochlenski, le recomendó que se confesara exclusivamente de sus faltas y que no hablara de sus vivencias y dificultades interiores, que no le pidiera consejos o explicaciones sobre los asuntos relacionados con sus visiones extraordinarias y las gracias que Dios le concedía. Ángela creyó que podría obedecerle.Sin embargo, cuando volvió a tener visiones de Dios y a escuchar que se le pedía un renovado fervor, consideró que debía decírselo al confesor y recibir de él la respuesta de cómo debía comportarse. Por eso, en la siguiente confesión comenzó a hablar de sus dudas y se alargó. El confesor le recordó lo que le había dicho, y le advirtió que no le permitiría hablar más acerca de sus dudas. Otra vez Ángela volvió a confesarse, y fue incapaz por sí misma de seguir las indicaciones de su confesor. Entonces el P. Estanislao la reprendió con severidad y le dijo que no se volviera a acercar al confesionario. Ángela creyó que las duras palabras del confesor eran más una amenaza que una decisión definitiva. Por eso, cuando llegó el día de su confesión semanal, se colocó junto al confesionario del P. Estanislao. Era el segundo domingo de mes por la tarde. En la Iglesia de los Redentoristas se rezaba el oficio para los miembros de la asociación de la Santísima Virgen del Perpetuo Socorro. Junto al confesionario del P. Estanislao había algunas personas. Cuando el P. Chochlenski vio a Ángela, asomó la cabeza y dijo severamente: *¡Vete, no te voy a confesar!* Ángela pensaba que el confesor sólo quería humillarla, pero creía que no la iba a rechazar cuando se

su propia miseria, podría haber juzgado que no merecía recibir la gracia de la confesión ni de la absolución. Podría haberse sentido rechazada por el mismo Jesús, pues, de hecho creía que era Él quien le hablaba a través de su Director. Sin embargo, no dudó de la misericordia divina; y ha sido proclamada beata.

Nunca dudes de la misericordia de Dios. En las situaciones más difíciles, Jesús esperará de ti una **fe hasta la locura y una confianza sin límites**.

---

arrodillara ante el confesionario, por eso se quedó allí. El sacerdote le repitió: *¡Vete, no te voy a confesar!* Pero, aunque era la segunda vez que se lo decía, Ángela no se fue, pues no podía concebir que pudiera ser tan cruel y que no quisiera ayudar a su alma. Permaneció junto al confesionario y después de un momento trató de volverse a acercar. Pero, entonces el P. Chochlenski explotó. Salió del confesionario y en voz alta, delante de todos los presentes, dijo irritado: ¿*Has entendido? no te voy a confesar.* Entonces, Ángela se deshizo en lágrimas y salió. En la Iglesia se formó un alboroto. Los que no conocían a Ángela se preguntaban quién sería esa joven a quien el sacerdote expulsaba públicamente del confesionario.

Sabemos que el P. Chochlenski resolvió definitivamente no confesar más a Ángela en 1912. Desde aquella vivencia tan dolorosa, Ángela estaba cada vez más débil, la abandonaron todas las fuerzas y jamás regresó ya "al mundo". Cf. A. Wojtczak, Aniela Salawa, Varsovia 1983, p.p.140-144.

5. EL REGRESO DEL HIJO PRÓDIGO

En la parábola del hijo pródigo, Jesús nos enseña la actitud llena de amor que Dios tiene con el pecador. El Padre celestial espera nuestro regreso voluntario como expresión de la fe en su amor. "Un hombre tenía dos hijos. El menor de ellos dijo al Padre: «Padre, dame la parte de la hacienda que me corresponde». Y él les repartió la hacienda. Pocos días después el hijo menor lo reunió todo y se marchó a un país lejano donde malgastó su hacienda viviendo como un libertino. Cuando se lo había gastado todo, sobrevino un hambre extrema en aquel país, y comenzó a pasar necesidad. Entonces fue y se ajustó con uno de los ciudadanos de aquel país, que le envió a sus fincas a apacentar puercos. Y deseaba llenar su vientre con las algarrobas que comían los puercos, pues nadie le daba nada" (Lc 15,11-16).

El padre permite la tragedia del hijo

Para los habitantes de la Palestina de aquel tiempo, la situación de quien trabaja apacentando puercos y además se muere de hambre, era peor que la situación de los mismos puercos. En cuanto a su posición social, el hijo pródigo descendió hasta lo más bajo, y comenzó a ser tratado peor que los animales, como el último de la tierra.

El padre permite que su hijo malgaste el capital que le había dado. Que llegue al fondo de la miseria humana. Que sea tratado peor que los puercos, que para los israelitas eran animales impuros.

¿Por qué?

Probablemente el padre sabía que su hijo, tras recibir la enorme fortuna gratuitamente, no valoraría el don recibido. Indudablemente se daba cuenta de que su hijo no apreciaría que este don era expresión de su gran amor paternal y de la confianza que ponía en él. También sabía hasta dónde podía conducir a su hijo el deseo de decidir sobre sí mismo y de construirse la felicidad según su propia visión.

Sin embargo respetó la voluntad de su hijo.

Descubrir el amor del Padre en la libertad

El padre de la parábola no privó a su hijo de la libertad de elegir, a pesar de que preveía que era una amenaza para él. Sin embargo, quería que la respuesta del hijo a su amor fuera **plenamente voluntaria**. Y para que eso pudiera suceder:

arriesgó
perder parte de la hacienda obtenida con su duro trabajo;

el tormento, el sufrimiento,
e incluso la vida del hijo;
arriesgó
perder a su amado hijo, que como padre

llevaba en su corazón.
En la afirmación de la libertad del hijo,
en la aceptación de que su hijo "moriría"
se expresa la plenitud del amor del padre.

Tu situación es parecida.
A través del Sacramento del Bautismo y de otros
sacramentos,
Dios te obsequió con un inmenso tesoro.
Conforme a sus planes para ti,
colocó en tus manos,
innumerables tesoros de gracias que Cristo te
conquistó.
En su amor por ti, te obsequia con un gran capital.
Al mismo tiempo te deja plenamente libre,
para que puedas descubrir su amor
en esta libertad que te da.
Eres libre. Puedes malgastar este don que re-
cibiste. Pero, incluso entonces tienes una gran oportunidad: a través del descubrimiento de tu propia
miseria puedes llegar a conocer la profundidad
del amor de Dios.
Y regresar a Él.

En el mismo fondo

Si llegas a ser lo bastante humilde,
Dios descubrirá ante ti toda tu pecaminosidad.
Te mostrará que eres peor que otros pecadores,
aún peor que los más grandes,
a quienes antes quizás despreciabas.
Te permitirá descubrir el fondo más horroroso

de tu miseria.

El hijo pródigo, en la situación de mayor humillación y degradación, dice: "«¡Cuántos jornaleros de mi padre tienen pan en abundancia, mientras que yo aquí me muero de hambre!»" (Lc 15,17).

Tú también puedes tener la impresión de que tu alma muere y se pierde, cuando experimentas el fondo de tu miseria espiritual.

Te sentirás como si estuvieras condenado.

Vivirás algo parecido a tu propio purgatorio, porque te parecerá que no es posible que Dios pueda amar a alquien tan despreciable e ingrato como tú, a alguien que lo malgastó todo, que es el peor[19]. Y, entonces, probablemente te será extraordinariamente difícil tomar la decisión de regresar al Padre.

Has descubierto que eres el peor.

Pero, ¿acaso eso significa que Dios ya no te espera?

Quizás precisamente entonces te espera de una manera especial.

Quizás entonces es cuando **más** espera tu regreso.

Cuando experimentes el tormento que supone el conocimiento del fondo

de tu miseria,
el Corazón del Padre arderá con el máximo amor por ti.

Si Dios permite que conozcas hasta este punto la verdad sobre ti mismo, es para purificarte del orgullo,
de toda ilusión de que por ti mismo eres bueno,
y de que eres capaz de administrar bien
el tesoro que puso en tus manos.

---

[19] Cf. San Juan de la Cruz, *Noche Oscura*, Libro II, 7,7.

Y ahora,
después de todas tus infidelidades
y después de lo que **por tu propia voluntad**
experimentaste,
espera
que te decidas a un acto heroico;
que, consciente de que cargas con la miseria
del peor de los peores...
regreses.

El ejemplo del ladrón

Cuando el buen ladrón colgaba de la cruz junto al Salvador, probablemente era consciente de que había malgastado toda su vida y de que era el peor. De hecho, él mismo reconoció que sufría justamente y vio este sufrimiento como la consecuencia de sus pecados. A pesar de todo, decidió hacer un profundo acto de confianza en Cristo: "«Jesús, acuérdate de mí cuando vengas con tu Reino»" (Lc 23,42). ¿Acaso estas palabras no nos recuerdan la actitud del hijo pródigo?: "Padre, pequé contra el cielo y ante ti. Ya no merezco ser llamado hijo tuyo, trátame como a uno de tus jornaleros" (Lc 15,18-19).

Esta es precisamente la actitud que Dios espera de ti.

Tal vez conozcas este último fondo de tu miseria sólo en el momento de la muerte. Y, entonces, Dios esperará la decisión más importante de tu vida: **que quieras regresar.**

Esto salvará tu vida para toda la eternidad.

Los incesantes regresos tras tus continuas

infidelidades, han de prepararte para ese momento. Al permitir que caigas, Dios siempre quiere que crezcas en humildad y que descubras que Él se inclina con amor sobre la miseria más profunda. Precisamente así te prepara para el último momento de tu vida, para esa última prueba que finalmente te llegará algún día.

La confianza, aceite en la lámpara

Sería bueno que vivieras consciente de que tu última prueba puede llegar pronto. Es necesario que estés vigilante y preparado, como las vírgenes prudentes estaban provistas de reservas de aceite (cf. Mt 25,1-13).

Tu "aceite" debería ser la confianza de niño ante Dios.

¿Dónde obtenerlo?
Esta confianza no tiene que nacer en la esfera
de los **sentimientos** positivos,
porque es difícil tenerlos cuando uno se siente el peor.
Tampoco tiene que surgir en el ámbito de
los argumentos **racionales,**
porque cuando descubras la verdad sobre tu miseria,
la razón puede decirte
que ya no puedes contar con nada y que no puedes esperar nada.
Sin embargo, en contra de los sentimientos, de la experiencia y de la lógica,

tu **corazón**
debería estar lleno de una profunda confianza:
"Me levantaré, iré a mi Padre...".

Gracias a esta **confianza hasta la locura** y a la fe
que va unida a ella, Dios podrá derramar sobre ti la
inmensidad de sus gracias.

¿Qué será tu mejor vestido o tus sandalias? ¿Cuál
será el anillo que se te pondrá en la mano? Esto seguirá
siendo un misterio. Pero, para ti será evidente que,
siendo el peor de los peores, **nada** mereces. Por lo
tanto, cualquier cosa que recibas será para ti el mejor
vestido, las más hermosas sandalias y el anillo más
maravilloso.

6. LA CÁRCEL, LUGAR DE ENCUENTRO CON EL AMOR

En todas las circunstancias de nuestra vida
y especialmente en los momentos más dolorosos,
Dios sale a nuestro encuentro con su gracia, su
amor y su perdón.
Cualquier situación
nos puede conducir a la conversión,
a una mayor apertura a Dios
y a buscar en Él la salvación.
Incluso la cárcel puede ser un lugar en el que el
hombre pecador se encuentre con el amor misericordioso
de Dios que le abraza. A fin de cuentas, no es
importante en qué condiciones conocemos el amor de
Dios.

Descubrir el sentido de las experiencias dolorosas

Muchos reclusos reciben su condena de un modo
totalmente negativo, ven en ella un "castigo de Dios"
entendido a su manera. Incluso aquellos que han sido
condenados después de probárseles su culpa. Esto es
así porque nuestra manera de pensar normalmente está
sometida a estereotipos. Si según el razonamiento
humano algo está mal, pensamos que es un mal
objetivo. De la cárcel, que desde el punto de vista

humano es un lugar totalmente negativo, pensamos que también lo es a la luz de la fe. Sin embargo, frecuentemente no es así.

De hecho, hay reclusos que ven su experiencia como una llamada especial a cambiar de vida y a la conversión. Tratan de ver en esta dolorosa situación una expresión del amor de Dios, pues podrían haber muerto antes de llegar a la cárcel... cuando al cometer un delito infringían la ley, y por lo general también los Mandamientos. La cárcel puede ser una oportunidad para comprender lo grave que es menospreciar los Mandamientos de la Ley de Dios.

¿No sucede lo mismo con las enfermedades? Éstas, al atar a alguien a la cama, le hacen prisionero en su propia habitación, dependiente de los demás a causa de su sufrimiento. Tanto la cárcel como la enfermedad pueden aplastar dolorosamente, pero también pueden **purificar.**

Ambas son una oportunidad para encontrar el camino hacia Dios y descubrir el valor de su amor.

Todas las situaciones
en las que conocemos la verdad suprema,
que "Dios es amor" (1Jn 4,8),
son siempre **las mejores.**

¿Tratas de ver la dimensión positiva de las circunstancias difíciles de la vida:

de la cárcel,

de una enfermedad grave,

de la invalidez,

del alcoholismo o la drogadicción de alguien cercano,

de la incomprensión en la familia?

¿Logras tener fe en la presencia continua de Dios

junto a ti y en su amor en **todas** las circunstancias por las que pasas?

Una expresión del amor de Dios puede ser también
que nada te salga bien en la vida,
que todo se complique,
que a menudo no comprendas algo.
Descubrir el sentido de todas las experiencias de tu vida sólo es posible en el camino de la fe.

Sin la fe, el hombre quiere ser como Dios,
quiere dirigir su destino él solo,
cree que puede ser feliz por sí mismo,
como Dios, que es la plenitud de la perfección
y del amor.

Se empeña en la ilusa convicción de que él también puede ser
esa plenitud.

Dios desea liberarnos y salvarnos de esta mentira, por eso muchas veces permite situaciones que **desbaratan nuestros planes** y nos hacen desvalidos. Una de estas situaciones puede consistir en ser condenado a prisión, que a la luz de la fe no se diferencia de las demás experiencias difíciles. Por ejemplo, para el pueblo elegido, el desierto por el que anduvieron durante cuarenta años era una especie de cárcel. Si tratamos de ver la cárcel a la luz de la fe comprenderemos que es un **lugar especial de encuentro con el Señor**.

Siendo recluso también puedes convertirte en un gran santo

Si a la luz de la fe todo es gracia[20], entonces **todas** las circunstancias y situaciones de nuestra vida son expresión del amor de Dios.

Deberíamos tratar de ver la cárcel también así, como un don con el que se nos obsequia. Aunque pueda ser muy difícil, deberíamos intentar ver a la luz de la fe la dimensión sobrenatural del sufrimiento vivido allí.

El Cardenal Wyszynski[21], Primado de Polonia de 1948 a 1981, precisamente fue en la cárcel donde profundizó y fortaleció su unión con el Señor de una forma especial. Es cierto que fue un periodo muy difícil para él, pero al mismo tiempo fue una gran gracia; seguramente fue un periodo importante para su crecimiento en la santidad.

Algo semejante ocurrió con san Maximiliano María Kolbe; no sería un santo de tal magnitud si no hubiera estado en un campo de concentración. Precisamente allí,

en condiciones ultrajantes para la dignidad humana,

de profunda humillación, desprecio y abandono,

fue donde se completó la medida de su santidad.

---

[20] Cf. Santa Teresa del Niño Jesús, *Obras Completas, Novissima Verba* del 5 de junio de 1897, Casulleras, Barcelona 1963, p. 389.

[21] El Siervo de Dios Cardenal Stefan Wyszynski (1901-1981) dirigió la Iglesia en Polonia desde 1948 a 1981. Desde 1953 hasta 1956 estuvo encarcelado por las autoridades comunistas de la Rep. Popular de Polonia. Cf. Stefan Wyszynski Primado de Polonia, *Cartas desde la Cárcel*, Varsovia 1990.

San Maximiliano[22], viendo sus experiencias a la luz de la fe, las aceptaba como un **don**. Su estancia en el "bunker" del hambre fue para él un tiempo de unión con Cristo,

> despreciado,
> juzgado injustamente,
> escarnecido,
> privado de todo derecho y dignidad,
> y, finalmente, martirizado y crucificado como un ladrón.

El Santo Padre Juan Pablo II sabe lo difícil que es la experiencia de estar en la cárcel o en el hospital. Por eso, visita con mucha frecuencia a los reclusos y a los

---

[22] Antes de ser encarcelado en Auschwitz, San Maximiliano estuvo preso junto con algunos hermanos en otros campos. El hermano Jerónimo Wierzba describe de la siguiente manera la vigilia de la celebración del santo de San Maximiliano en el campo de Amtitz: "Nos miró amorosamente, una sonrisa angelical le adornó el rostro y de sus labios fluyeron palabras de gratitud... Cuando terminó de dar gracias siguió diciendo: en estas condiciones en las que ahora nos encontramos, aceptamos de una manera especial la voluntad de Dios (...) Toma un pedazo de pan, un pedacito pequeño, que a nadie basta y... lo reparte entre los hermanos... Fue conmovedor este momento, algo que no se ve todos los días... Nos habló de la Inmaculada, de su bondad y de su amor por nosotros. Ella... sabe convertir también en mayor bien estas circunstancias que de alguna manera son para nosotros contrarias... Ella nos utiliza como cosa y propiedad suyas. Estémosle agradecidos porque se digna usarnos. (...) Cuánta bondad suya en todo esto. Nos trajeron aquí gratuitamente, nos dieron dónde dormir y de comer, para que podamos ganar almas para Ella. (...) Si hubiéramos querido venir de misiones, cuántos esfuerzos, formalidades, pasaportes se habrían necesitado para que finalmente... no nos lo hubieran permitido. Aquí podemos hacer mucho bien. Aprovechemos la ocasión". J. Kazmierczak, *A San Maximiliano M. Kolbe en el centenario de su nacimiento* 8.01.1994, serie: *Espiritualidad Franciscana*, Gdansk 1994, p.25.

enfermos, pidiéndoles especialmente que oren[23].

La oración de un recluso tiene un gran valor a los ojos de Aquél que se alegra más "por un solo pecador que se convierta que por noventa y nueve justos que no tengan necesidad de conversión" (Lc 15,7). A los ojos de Dios, el sufrimiento de un recluso que se convierte tiene un gran valor. Las palabras de Jesús al Buen Ladrón son testimonio de ello.

A semejanza del Buen Ladrón, todo recluso puede llegar a ser un gran santo. No tiene que avergonzarse de estar en la cárcel; de que ahí precisamente conoce el amor de Dios y ahí se santifica. El Buen Ladrón es su Patrón. Debería pedirle la gracia de aceptar como él la condena a prisión, y de creer como él en el amor de Cristo que perdona. El Buen Ladrón reconoció que la sentencia dictada contra él era justa, no se rebeló contra un castigo tan espantoso. Quiso enmendar el mal que había cometido.

Si un recluso que se convierte aprovechara plenamente la gracia de estar en la cárcel, podría santificarse rápidamente.

¿Libertad en la cárcel?

A alguien que es encarcelado siendo inocente, le resulta más difícil aceptar estar en prisión. Así sucedió en un país latinoamericano. Un ejecutivo de un banco, con muy buena posición y muy estimado, fue acusado

---

[23] "Permítanme(...) que les pida oraciones, porque siempre con la mayor confianza y la más grande esperanza pido oraciones a los que sufren. ¡Porque por medio de ellos Dios vence!" *Locución en la Catedral de Cristo Rey durante la peregrinación del santo Padre Juan Pablo II a Polonia*, Katowice, 20 de junio de 1983.

de haber cometido un gran fraude y condenado a muchos años de prisión. Por tener un cargo tan importante en el banco, este hombre se había entregado tanto al trabajo, que se había extraviado en su vida espiritual. Dios había pasado a un segundo plano. Aunque no había dejado la oración ni las prácticas religiosas, comenzó a apoyarse cada vez más en sí mismo. Era caritativo y , a menudo, ayudaba a los demás, pero lo hacía a costa de su propia familia. Por eso, se afirmó en là presunción de ser bueno. En su trabajo se consideraba un funcionario insustituible. Al pasar cada vez más tiempo en él, descuidaba a su mujer y a sus tres hijos. Su esposa, sobrecargada de obligaciones, se sentía cada vez más sola e incomprendida al enfrentarse con la vanidad y la seguridad en sí mismo de su marido. De esta manera, la familia estaba a punto de desintegrarse. Sin embargo, él, sin sospechar nada, siguió incurriendo en lo mismo y pensando sólo en hacer carrera.

Entonces, sucedió algo inesperado. Aquel hombre fue acusado de haber cometido un fraude de mucho dinero. La suma de dinero que eventualmente debía restituir, sobrepasaba totalmente sus posibilidades. Así pues, fue condenado a muchos años de cárcel. Pero, de hecho, él, en cuanto a honradez profesional, ¡había sido intachable!

Durante las dos primeras semanas estuvo al borde de la desesperación. Se preguntaba continuamente: ¡¿Por qué yo?! ¿Por qué Dios me prueba así? No podía aceptar que él, siendo un empleado tan responsable, tuviera que estar tantos años en la cárcel por un acto que no había cometido.

Pero la gracia del Sacramento de la Reconciliación

venció en él ese profundo sentimiento de haber sido perjudicado injustamente.

Al encontrar un buen confesor, vio una luz de esperanza para él. Descubrió el sentido de su estancia en la cárcel. Comprendió que la verdadera **esclavitud** es la del propio egoísmo y orgullo. Precisamente en la cárcel empezó a adquirir la **libertad interior,** en virtud de la gracia del Sacramento de la Reconciliación y gracias a la ayuda espiritual del confesor.

En la cárcel se convirtió en un hombre feliz.

– Doy gracias a Dios por lo que me ha sucedido, ¡aunque tuviera que quedarme aquí el resto de mi vida! – dijo. Estaba convencido de que Dios había tenido que enviarle esa prueba, porque de otra manera él, tan seguro de su propia perfección, se habría contentado sólo con las prácticas externas de la fe.

Aquel hombre estaba lleno de alegría por haber encontrado a Dios. Con su actitud empezó a influir en los demás reclusos. Gracias a su conversión, algunos de ellos también vieron la otra dimensión de su propia experiencia.

En la cárcel descubrió la verdad sobre sí mismo. Pero, **al mismo tiempo,** descubrió la verdad del amor insondable de Dios. Y precisamente esta verdad se convirtió en la fuente de su libertad. Al vivir esta prueba tan difícil, tenía dos caminos a elegir:

acusar a Dios por haber permitido tal injusticia,

o, contra todo lo que le dictaba la lógica humana,

creer en el amor de Dios.

Eligió la fe en el Amor.

No sabía qué pasaría en adelante con su vida ni cuánto tiempo permanecería en la cárcel.

Lo cierto es que ya entonces era libre:

a través de la confianza en Dios,
de la fe en su amor,
y del abandono total en Él
obtuvo
la **libertad interior de corazón**.
Y eso es lo más importante.

Para él, la cárcel se convirtió en lugar de auténtica conversión, en un lugar de encuentro del pecador con el Amor.

Parte III

"Ahí tienes a tu Madre"

Con frecuencia la gente hace referencia al cristocentrismo para pronunciarse en contra de la devoción mariana. Se la considera como una amenaza contra Cristo, quien debe permanecer – como se dice – en el centro de la religión fundada de hecho en Él. Esta exigencia es justa mientras se refiera al lugar que Jesús tiene en el centro de la vida cristiana. Sin embargo, deja de serlo si despoja a Cristo de una dimensión que va ligada a su ser: Jesús es Hijo del Padre, pero también es Hijo de María. Incluso en la gloria de los cielos permanece siendo lo uno y lo otro. Esto es ya suficiente para que nunca consideremos a María como la persona que sólo introdujo a Cristo, como alguien que una vez nos dio a su Hijo para después ser olvidada en la obra de la Redención que Él vino a realizar. Esto significaría olvidar que Jesús, siendo plenamente independiente, quiso ser dependiente de su Madre no solamente durante los meses de su embarazo, sino durante los largos años de preparación para su actividad pública. Este hecho es ya más elocuente que cualquier texto; por sí mismo contiene toda una teología mariana. También nos invita a entrar en el Reino de Dios por el camino privilegiado de los niños y de aquellos que son semejantes a los niños (cf. Mc 10,14). María garantiza humildad a quien acepte depender de Ella, para recibir mejor al Espíritu de su Hijo (Card. L.J. Suenens, ¿Quién es Ella? Síntesis mariológica.)

1. MARIA, LA QUE NOS PRECEDE EN LA PEREGRINACION DE LA FE

"En el saludo de Isabel cada palabra está llena de sentido y, sin embargo, parece ser *de importancia fundamental* lo que dice al final: «¡*Feliz la que ha creído* que se cumplirían las cosas que le fueron dichas de parte del Señor!» (Lc 1,45). Estas palabras se pueden poner junto al apelativo «llena de gracia» del saludo del ángel. En ambos textos se revela un contenido mariológico esencial, o sea, la verdad sobre María, que ha llegado a estar realmente presente en el misterio de Cristo precisamente porque «ha creído» (...). María, a través del camino de su *fiat* filial y maternal, «esperando contra esperanza, creyó»" (*Redemptoris Mater* 12;14).

Las pruebas de la fe

El camino hacia la santidad pasa por las pruebas de la fe, experiencias que a menudo pueden ser incomprensibles para nosotros, porque no alcanzamos a entender su significado. Generalmente recibimos la gracia de comprender algunas de estas pruebas una vez que han pasado. Hasta este momento podíamos tener la impresión de que nos encontrábamos en una situación sin salida.

Los israelitas vivieron así sus pruebas de fe cuando fueron sacados de la esclavitud y conducidos a la Tierra Prometida. Dios hacía milagros, pero no resolvía completamente todos los problemas del pueblo.

Algo semejante sucede también en tu vida. Aunque Dios interviene continuamente en ella, no resuelve completamente todas tus dificultades, no te exime de la llamada a que aceptes tus experiencias **en el plano de la fe,** según el ejemplo de aquella que nos ha precedido "en la peregrinación de la fe" (LG 58).

Las pruebas de la fe en la vida de María

María pasó a través de pruebas de abandono en Dios especialmente difíciles. Su "peregrinación en la fe" era un vivir constantemente nuevas situaciones que sobrepasaban la capacidad humana de comprensión. En esas circunstancias ella ofrecía a Dios "el homenaje total de su entendimiento y voluntad" (DV 5).

La vida de María fue un **abandono incesante de sí misma en Dios.**

Entre María y Dios se realizaba continuamente una admirable comunión de personas, construida sobre la confianza, sobre una entrega total continuamente renovada, y sobre una creciente comunión de vida.

María, entregada totalmente, consideraba la voluntad de Dios,

incluso la que no entendía,
como el valor supremo.
Al hacer vida la voluntad de Dios,
Ella vive la vida de Dios.

Creer en lo humanamente imposible

Esta relación singular entre Dios y María se revela muy claramente en la Anunciación, cuando Dios la introduce en un vínculo extraordinariamente íntimo con Él. Dios le anuncia su voluntad con un amor infinito, y María responde con la entrega total de sí misma, a pesar de estar ante algo que sobrepasa completamente la capacidad humana de comprensión. Su vida posterior será una vivencia continua del *fiat* pronunciado en la Anunciación, así como una renovación incesante de su abandono en Dios.

Juan Pablo II dice que María nos enseña a reconocer humildemente los «insondables designios» e «inescrutables caminos» de Dios. Aquella "que por la eterna voluntad del Altísimo se ha encontrado, puede decirse, en el centro mismo de aquellos «insondables designios» e «inescrutables caminos» de Dios, se conforma a ellos en la penumbra de la fe, aceptando plenamente y con corazón abierto todo lo que está dispuesto en el designio divino" (RM 14).

Al pronunciar su *fiat*,
María creyó en algo humanamente imposible,
y, con una fe inquebrantable, esperó que se cumpliera.
Contra toda lógica, ella creyó a Dios,

y en cada nueva experiencia,
adoptaba invariablemente esta misma actitud.

La extraordinaria relación espiritual
de Jesús y María

Dios respondió al abandono ilimitado de María
con una gracia inimaginable. En el momento de la
concepción de Jesús nació entre Madre e Hijo un
vínculo no solamente físico, sino sobre todo un
extraordinario vínculo espiritual, cuya profundidad
siempre será para nosotros un gran misterio.
Este vínculo único e irrepetible entre María
y Dios
fue como un "cordón umbilical" espiritual.
Jamás volverá a existir
una relación así entre una criatura y el Creador.
Refiriéndose a esta relación, santa Isabel,
llena del Espíritu Santo
saludó así a María:
"Bendita tú entre las mujeres" (Lc 1,42).
¿En qué consiste este misterio de entrega
extraordinaria y de sometimiento tan perfecto de María
a la voluntad de Dios?
Reflexionemos sobre la actitud de Aquella que
nos precede y conduce "en la peregrinación de la fe" y
tratemos de mirar su vida a la luz de una de las
llamadas fundamentales de Cristo: "si no cambiáis y
os hacéis como los niños, no entraréis en el Reino de
los Cielos" (Mt 18,1-3).

La infancia espiritual de María

En el abandono de María se muestra claramente la actitud del niño. En el momento de la Anunciación, al estar ante uno de los más grandes misterios de Dios, hace sólo una pregunta, la más sencilla de todas las que tenía derecho a preguntar: "«¿Cómo será esto puesto que no conozco varón?»" (Lc 1,34). Como era muy joven, una adolescente, probablemente carecía del conocimiento que tenían los escribas. De ahí la sencillez de su comportamiento.

Solamente sabía que Dios esperaba su consentimiento,
así que aceptó.

El "sí" con el que respondió a Dios sin vacilar,
es testimonio de que ella veía al mensajero de Dios
con los ojos del niño del Evangelio.

El niño, aunque no tiene un vasto conocimiento,
ni experiencia,
no necesita demasiadas explicaciones,
su corazón, lleno de confianza y esperanza, lo cree todo.

María tampoco necesitaba explicaciones exhaustivas.

En el momento de la Encarnación, entró en contacto con uno de los misterios más profundos de Dios. Sin embargo, Ella lo meditaba en el silencio de su corazón, aceptando que seguiría siendo para ella un misterio.

Esta actitud de confianza de niño en Dios podemos apreciarla en todas las circunstancias de su vida, sobre todo en aquellos acontecimientos que suponían para ella las más difíciles pruebas de fe.

El difícil silencio ante José

El hecho de ocultar a su esposo José el misterio de encontrarse encinta por obra del Espíritu Santo (Cf. Mt 1,18), debió ser una prueba muy difícil para María, pues seguramente preveía su dolor e incertidumbre.
Qué difícil tuvo que ser su silencio
tanto sobre el misterio de Dios,
como sobre su fidelidad a José.
Ese silencio escondía la aceptación del sufrimiento de aquel a quien amaba; aceptación que provenía de la valentía de la fe.
María conocía las costumbres y la ley judías. Sabía que por su embarazo podrían apedrearla. "Si una joven virgen está prometida a un hombre y otro hombre la encuentra en la ciudad y se acuesta con ella, los sacaréis a los dos a la puerta de esa ciudad y los apedrearéis hasta que mueran" (Dt 22,23-24).
Aquella que nos indica el camino del abandono en Dios en toda situación, no estaba libre de las típicas sospechas y acusaciones.
Las experiencias difíciles no disminuían su fe en que Dios mismo la conducía a través de ellas, de una forma que sólo El conocía.
Siempre aceptaba el designio de Dios.

La aceptación de la difícil experiencia de Belén

Cuando María se dirige a Belén, sabe que el tiempo de dar a luz está cerca. Pero ella, sometiéndose a la voluntad de Dios, emprende ese largo y penoso viaje. En la actitud del niño del Evangelio se abandona en todo a la voluntad del Padre, a quien ama y en quien confía, a pesar de que no siempre comprende su voluntad. En el momento del Nacimiento de Jesús, acepta plenamente todo lo que ocurre, incluso esas condiciones humanamente tan extremas.

Cualquier madre
que se encontrara en circunstancias semejantes,
estaría llena de dudas y preguntas,
incluso de rebeldía contra la voluntad de Dios,
tan incomprensible y difícil de aceptar.
En cada situación,
María
realizaba la voluntad de Dios
con toda paz interior,
porque aceptaba todo con confianza de niño.

La aceptación del destierro

Poco después de que el Hijo de Dios viniese al mundo, la Sagrada Familia tuvo que huir a Egipto. "El Angel del Señor se apareció en sueños a José y le dijo: «Levántate, toma contigo al niño y a su madre y huye a Egipto; y estáte allí hasta que yo te diga. Porque Herodes va a buscar al Niño para matarle.» Él se levantó, tomó de noche al niño y a su madre, y se retiró a Egipto" (Mt 2,13-14).

¡Huir en medio de la noche, teniendo que dejarlo todo, llevando consigo únicamente algún equipaje de mano! Una cosa así sería para cualquier familia algo horrible.

No resulta difícil imaginar cómo reaccionaría un matrimonio joven, al recibir en medio de la noche el aviso de que inmediatamente tienen que huir del país con su hijo.

¿Dejar la casa que adquirieron con tanto esfuerzo? ¿Dejar el dinero ahorrado, que por la noche no se puede sacar del banco? ¿Renunciar al trabajo que ofrece sentimiento de seguridad?

¿Cómo se comportarían al darse cuenta de repente, de que Dios quiere que se vayan inmediatamente a un país desconocido sin ninguna seguridad humana?

María aceptó con paz la decisión de José, al que un ángel "reveló" en sueños que tenían que huir a Egipto.

¿Alguna mujer se comportaría
así en una situación semejante?

Aquella cuya vida fue un continuo descifrar los signos
que Dios le daba,
que tenía su mirada fija en Dios y que estaba a la escucha de su Palabra,
inmediatamente percibió en este acontecimiento un **signo de Dios**,
a quien se sometió
totalmente, sin vacilar.

Para ella no era importante si tenía que dejarlo todo
hoy

o mañana,
porque ponía su esperanza en Dios,
y no en lo que tuviera que abandonar.

La dificultad de aceptar la "normalidad" del Hijo de Dios

María sabía que el niño que había concebido en su seno por obra del Espíritu Santo, sería llamado Hijo del Altísimo. "Él (...) reinará sobre la casa de Jacob por los siglos y su reino no tendrá fin" (Lc 1,32-33). Como dice Juan Pablo II, la Virgen María "ha crecido en medio de esta expectativa de su pueblo" (RM 15).

Desde que nació
el niño parecía normal:
no se veían en él rasgos divinos,
se comportaba como los demás niños.

Desde su nacimiento, María vivió en intimidad con el misterio de la naturaleza divino-humana de Jesús y con el de su condición de Hijo de Dios, únicamente por medio de la fe. "Pero si desde el momento de la anunciación le ha sido revelado el Hijo, que sólo el Padre conoce plenamente, como aquel que lo engendra en el eterno «hoy» (cf. Sal 2,7), María, la Madre, está en contacto con la verdad de su Hijo únicamente en la fe y por la fe" (RM 17).

Qué difícil debió haber sido para ella esta prueba que se prolongó durante tantos años;
el Hijo del Altísimo iba aprendiendo todo despacio y progresivamente,
como cualquier hombre.
María "cree cada día

en medio de todas las pruebas y contrariedades del período de la infancia de Jesús" (RM 17).

Es verdad que ciertos acontecimientos parecían confirmar

su naturaleza divina, pero comprenderlos apropiadamente también exigía la fe, porque su sentido estaba oculto.

Dios no escatimaba pruebas a María, ni en las situaciones difíciles le explicaba todo completamente. Se puede suponer, que ella fue testigo **de la debilidad del Niño Dios,** a quien ella envolvía en pañales, que sin duda lloraba cuando tenía hambre, que se caía al dar los primeros pasos, y que decía con dificultad sus primeras palabras...

Jesús, que iba creciendo ante los ojos de María, aparentaba ser **sólo un hombre.** Su crecimiento no estuvo acompañado de fenómenos extraordinarios. El hecho de ver a Dios en su hijo, que parecía completamente igual a los demás niños, tuvo que haber estado unido a una "particular fatiga del corazón" y a una "noche oscura de la fe" (cf. RM 17). Así, María, "hallándose al lado del hijo, bajo el mismo techo (...), «avanzaba en la peregrinación de la fe»" (Ib.).

El misterio de la grandeza de María

Cuando a la edad de doce años Jesús se perdió en Jerusalén, María desconocía cuánto tiempo tardaría en encontrarle. A pesar de ello, mantuvo, con la confianza de un niño, una inquebrantable actitud de fe; tanto cuando lo buscaba con José como cuando una

vez encontrado escuchó el reproche de su hijo: "¿por qué me buscábais?" (Lc 2,49). El Evangelio señala que "ellos no comprendieron la respuesta que les dio" (Lc 2,50). María, una vez más fue puesta ante el misterio. Ella, con la confianza de un niño ante Dios, lo medita en su corazón,
corazón del niño del Evangelio,
que confía ilimitadamente,
que no exige explicaciones innecesarias,
ni desea argumentos.
Durante la vida pública de Jesús, María "vivía en intimidad con este misterio sólo por medio de la fe" (RM 17). El mismo Cristo nos habla sobre la vida de fe de su madre, cuando una de las mujeres que le escuchaba gritó: "«¡Dichoso el seno que te llevó y los pechos que te criaron!» Pero él dijo: «Dichosos más bien los que oyen la Palabra de Dios y la guardan»" (Lc 11,27-28). Jesús no contradice la afirmación de esa mujer, pero aclara que **lo que decide la verdadera grandeza de una persona es el contacto espiritual con Dios**, que ha alcanzado su dimensión más plena en María.

Lo mismo quiere decir esta otra afirmación de Jesús: "Quien cumpla la voluntad de Dios, ese es mi hermano, mi hermana y mi madre" (Mc 3,35).

Por la escucha de la Palabra de Dios y su cumplimiento
nos convertimos en hermanos de Jesús
e imitamos la actitud de María.

En la humillación y el ocultamiento

Durante la vida pública de Cristo, María permanece oculta.
¿Por qué ella, que es la más abierta,
que acoge cada palabra del Hijo de Dios
y la vive plenamente,
no escucha su enseñanza directamente?
Aunque esto sea un misterio,
podemos ver que Dios llama a la vida oculta.
Para nosotros la actitud de María es un elocuente testimonio de lo importante que es imitar a Jesús en su humildad y en su actitud de pasar inadvertido.

Al que se gana el reconocimiento de los demás realizando cosas grandes, le resulta muy difícil crecer en la pobreza espiritual. Y sin este crecimiento es imposible imitar plenamente a Cristo.
Por eso siempre
que no sea necesario
que realices algo grande a los ojos de los demás,
deberías querer permanecer inadvertido y olvidado.

No siempre es posible imitar al pie de la letra la vida oculta de María. Si Dios quiere que realices grandes cosas visibles, no te puedes negar.
Sin embargo, lo importante es que **tú mismo** no busques privilegio alguno ni aquello que te pudiera hacer "grande" a los ojos del mundo.
Dios llama a muchas personas a imitar
la vida oculta de María.
Tal vez también te llame a ti
a esta unión con ella,
para que también
desaparezcas poco a poco,

para que con alegría le cedas tu lugar a otros,
de tal manera, que nadie te solicite...

Obediencia heroica de la fe al pie de la cruz

María al pie la Cruz vivió el momento culminante
de sus pruebas de fe. Entonces, veía cómo su Hijo,
despreciado y desecho de los hombres, varón de
dolores (Cf. Is 53,3), agonizaba en el madero de la Cruz.
Aquella que creyó contra toda esperanza mostró en esa
hora el heroísmo de la obediencia de la fe.

De hecho, María nunca había escuchado que Dios
pudiera ser débil o desvalido, que estuviese sometido
al sufrimiento. Había sido educada en la cultura
monoteísta, y Dios para ella era el Creador omnipotente.
En cambio, en el Gólgota, el **Hijo de Dios** cuelga
desvalido en la Cruz y ante sus ojos ¡**muere** en medio
de indecibles tormentos! Su muerte es evidente, no
despierta ninguna duda.

Todo eso no hizo vacilar la fe de María.
Ella fue la única
que **participó con fe**
en el milagro
de la Redención del mundo,
que se estaba obrando en la Cruz.

"¡Cuán grande, cuán heroica en esos momentos
la obediencia de la fe demostrada por María ante los
«insondables designios» de Dios! ¡Cómo se «abandona
en Dios» sin reservas, «prestando el homenaje del
entendimiento y de la voluntad» a aquel , cuyos
«caminos son inescrutables»!" (RM 18).

Estando al pie de la Cruz, María confía

que en esa hora está sucediendo lo mejor que podía
suceder:
Jesús elige la Cruz voluntariamente,
para hacer la voluntad del Padre.
Así que ella adora la Cruz con la sencillez del niño,
sin analizar demasiado la situación
en la que Dios la ha puesto.
No la considera desesperante ni desesperanzadora.
Sabe que su hijo, de esta forma concreta,
está cumpliendo voluntariamente la voluntad del
Padre.
Hace lo que sin duda es **lo mejor.**
Quien lo reflexiona todo únicamente a la luz
de la lógica humana,
nunca comprenderá plenamente el misterio del sufrimiento
y de la Cruz.
Ante ese misterio
es imprescindible la actitud de **confianza
del niño.**

Sólo cuando adoptes esta actitud ante Dios,
te volverás inmune a la actuación de Satanás,
porque él aprovecha en sus tentaciones
el razonamiento puramente humano.
Sólo entonces dejarás de analizar demasiado.
Claro que Dios quiere
que te guíes por la razón,
¡pero por la razón iluminada por la fe!,
la cual te permitirá descubrir su voluntad
y cumplirla
aún cuando resulte demasiado difícil de aceptar.

Los sufrimientos y cruces de María
después de la Resurrección

María avanzó "en la peregrinación de la fe" hasta
el final de su vida en la tierra. Ni siquiera después de
la Resurrección de Cristo fue preservada de nuevas
pruebas ni de experiencias extraordinariamente
difíciles.
Tras la venida del Espíritu Santo, ella vivió con
la Iglesia naciente la tragedia de los primeros cristianos.
Como Madre de **todos** los hombres
veía con indecible dolor,
cómo unos de sus hijos
torturaban y mataban a otros.
San Esteban, que murió apedreado, era su hijo,
pero también lo eran aquellos que le
apedrearon.
Ella abrazaba a todos con su amor maternal.
Dios no le escatimaba sufrimientos ni cruces,
porque ella le era dócil en todo
y quería cumplir la misión que su Hijo le había
encomendado
como Madre de la Iglesia.

María nos enseña

Al precedernos en la "peregrinación de la fe", con
la actitud del niño que se abandona en Dios, María llegó
a ser un instrumento perfecto del Espíritu Santo. Se
sometía plenamente a su actuación y hacía todo lo que
Él esperaba de Ella.
María nos enseña cómo abandonarnos en Dios en

las experiencias que no comprendemos, y cuyo sentido conoceremos tal vez sólo en la vida futura.

Dios espera que ante las pruebas de la fe
quieras
reconocer con humildad sus insondables designios
y que aceptes
que no comprenderás muchas de sus decisiones.
Como Ella.
Confiarse totalmente a Dios puede ir unido muchas veces a la pérdida de todos los apoyos humanos. Entonces, entrarás en el camino de un abandono cada vez más auténtico,
que abarcará todas las esferas de tu vida.

Nuestra unión con el Crucificado

Al contemplar la vida de los santos podemos decir que, a partir de un momento determinado, su vida se vuelve una cadena de sucesivas experiencias y pruebas de fe cada vez más difíciles, hasta que finalmente llega el momento más dramático: la crucifixión. Seguro que en ese momento repiten el grito de Cristo crucificado: "¡Dios mío, Dios mío! ¿por qué me has abandonado?" (Mt 27,46).

La perspectiva de este camino a la santidad te puede horrorizar.

Si en alguna medida has conocido tu flaqueza,
sabes, que por tus propias fuerzas no superarás esta prueba.
Pero de hecho **no estarás solo**.
La Virgen, que estuvo al pie de la Cruz de Cristo, también estará junto a ti.

Cuando en el momento de la muerte
te enfrentes a la mayor prueba,
Dios, por medio de María,
querrá mostrarte su amor de un modo especial.
La meta deseada de tu camino a la santidad
debe ser unirte con Cristo crucificado
y morir en unión con Él.
Si no aspiras a esta meta en tu vida
puedes desperdiciarla.
De hecho, vives para
entrar en una vida nueva
después de pasar por muchas pruebas,
y, al final, por la muerte.
El camino que lleva a esta meta
es el abandono ilimitado en Dios,
entregándote a Él
a ejemplo de María.

2. HA PUESTO LOS OJOS EN LA HUMILDAD DE SU ESCLAVA

San Pablo escribe: "Pero al llegar la plenitud de los tiempos, envió Dios a su Hijo, nacido de mujer, nacido bajo la ley, para rescatar a los que se hallaban bajo la ley, y para que recibiéramos la condición de hijos. Y, como sois hijos, Dios envió a nuestros corazones el Espíritu de su Hijo que clama: ¡Abbá, Padre! De modo que ya no eres esclavo, sino hijo; y si hijo, también heredero por voluntad de Dios" (Gal 4,4-7).

Recibimos la filiación adoptiva en virtud del Sacrificio de Cristo, y como hijos llegamos a ser herederos de todo lo que le pertenece a nuestro Padre.

¡Asombrosa y maravillosa perspectiva de nuestra vocación!

Una conciencia superficial sobre el extraordinario contenido de estas palabras bastaría para comprometernos a responder.

La respuesta de María

¿Cómo podríamos cooperar mejor con la gracia de ser hijos de Dios? Contemplemos a Aquella cuya respuesta a esta gracia fue la más adecuada.

¿Qué actitud adopta María ante la vocación que

le ha sido revelada? Escuchemos una vez más su respuesta al Ángel: "He aquí la esclava del Señor; hágase en mí según tu palabra." (Lc 1,38). En el original griego, se utiliza la palabra "dule". Este término significa generalmente "esclava", es decir, una persona que puede ser tratada como una cosa sin subjetividad ni derecho alguno, para la cual la voluntad de su señor es completamente obligatoria.

María responde a Dios: **Quiero ser tu esclava.**

Sin embargo, san Pablo escribió: "ya no eres esclavo, sino hijo". ¿Cómo conciliar esto con la respuesta de María?

Las palabras de María no son la declaración de un esclavo,
sino la de un hijo
que se abandona confiadamente en su Padre.
Estando en presencia del amor infinito
de Dios que se le revela,
y ante la vocación más maravillosa,
Ella entrega toda su vida
en sus manos.

La generosidad de Dios encuentra aquí la respuesta más adecuada por parte del hombre, que es como una declaración:

Tú, que te entregas a mí en tu Hijo,
acepta mi abandono ilimitado en ti.
Haz de mí todo lo que tienes planeado.
Me entrego a ti,
y te entrego mi voluntad
porque creo que tu voluntad es expresión de un amor
insondable.
Quiero que puedas realizar en mí
todo eso a lo que me llamas.

Aquella que quiso ser esclava del Señor

La Virgen se llama a sí misma "esclava". Le entrega a Dios su libertad, no quiere tener ningún derecho ante Él. Así se expresa su pobreza espiritual: ante tu infinita grandeza soy "recipiente de barro"[24]. María está profundamente convencida de que es "recipiente de barro", aunque recibe las mayores gracias, inconcebibles para nosotros.

En respuesta a la gracia de esa elección especial,
quiere ser la última, quiere desaparecer.
Precisamente por esto es la **primera**,
porque es la esclava del Señor
y porque a sus propios ojos
es **la última**.

La actitud de pobreza espiritual de María es visible no sólo durante la Anunciación, sino también en otros acontecimientos que nos presenta el Evangelio. Cuando el Hijo de Dios viene al mundo, en condiciones indignas para un hombre, Ella acepta todo con una sumisión total.

En cada situación es obediente a la voluntad de Dios, porque siendo la esclava del Señor **no cree tener ningún derecho**.

Reinar significa servir

Dios enalteció a María por encima de toda criatura y la llamó a ser Reina del Cielo y de la tierra.

---

[24] Cf. 2 Cor 4, 7.

Esta Reina, reina sirviendo.

María no se busca a sí misma en nada. Toda su vida es servicio, aunque al ser Madre del Hijo de Dios, está llamada a ser la Reina de todas las criaturas.

Podemos preguntarnos por qué Dios elevó a María a una dignidad tan grande...

"...porque ha puesto los ojos en la humildad de su esclava"

(Lc 1,48).

Dios enaltece a los humildes.

Juan Pablo II en su meditación antes del "Angelus" del día 23 de Agosto de 1981, utilizó la expresión "reinar significa servir". La imagen más perfecta de esta afirmación es la vida del Hijo de Dios y, entre los hombres, exceptuando a Jesús, el ejemplo de la vida de María.

María reina
por haber elegido conscientemente ser esclava del Señor.

Tiene un único deseo:
cumplir la voluntad de Aquél que lo es todo para ella.

Con su actitud le repite continuamente su "fiat" a Dios;
acepta cualquier manifestación de su voluntad como el don más precioso.

Así pasa por la vida
la primera entre todas las criaturas.

En Nazaret la tenían por una mujer normal, y por una madre como cualquier otra. Siendo esposa del carpintero no tenía ninguna posición importante en la jerarquía social. La Madre de Dios desaparece entre la multitud de gente común y corriente. No desea nada para sí misma. Con toda su actitud afirma:

"Soy esclava del Señor,
no merezco nada.
Espero únicamente lo que provenga de la voluntad de Dios."

El reinado de María se expresa invariablemente en el servicio. Ella quiere ser invisible, quiere desaparecer, para que los hombres dirijan su mirada a Aquél que es el primero y el más importante.

Jamás ocultaba a Dios

En el período de la vida pública de Cristo, María sigue viviendo su "fiat" y se mantiene totalmente a la sombra de su Hijo. Vive oculta para no ocultar a Jesús. Es discreta incluso cuando comparte el sufrimiento con su Hijo, cuando al pie de la Cruz se une plenamente con Él.

Esta participación extraordinaria de María en el sufrimiento de su Hijo, hace que Ella se una, de manera única, a la obra realizada por Jesús, a quien se entrega sin reservas para servir al misterio de la Redención.

Después de la Ascensión de Jesús, María sirve a la Iglesia naciente. La acompaña en los acontecimientos más importantes. Vive con la Iglesia la Venida del Espíritu Santo; pero vive a la sombra de la jerarquía de la Iglesia constituida por

Cristo; a la sombra de los Apóstoles. Y ellos respetan su singular deseo de permanecer oculta. Por medio de esta actitud, muestra siempre a Cristo, el único Redentor.

Debes desear permanecer oculto e inadvertido

Cada uno de nosotros debería tener este deseo de María de permanecer oculto e inadvertido.
Si quieres imitarla
tu vida cotidiana debe ser también una vida de servicio,
dependiendo de tu vocación,
del trabajo que realizas
y de las condiciones en las que vives.
Pon tu mirada en María y procura decirle a Dios con la mayor frecuencia:
Oh, Amor mío,
haz de mí todo lo que quieras,
como si fuera una cosa sin ningún derecho ni libertad.
Tú me haces libre y me reconoces como tu hijo,
y yo, en respuesta a tu amor,
quiero ser tu esclavo.
Permíteme que lo sea,
pues tú bien sabes, Señor,
que de otra manera no aprovecharé la libertad
con que me obsequias,
ni mi condición de hijo ni de niño.
Tú sabes que de otra manera lo malgastaría todo.

Estar dispuesto a ceder tu función a los demás

También cuando desempeñas una función importante en la vida profesional o social, deberías procurar, en la medida de lo posible, "desaparecer" como María.

Es necesario que sirvas de tal manera, que otra persona pueda ocupar tu lugar en cualquier momento.

Sobre todo, como María, no debes ocultar a Dios con tu persona. Y esto será posible solamente cuando te conviertas en pobre de espíritu, y desees ser esclavo de Cristo; cuando al hablar con Él repitas con frecuencia: *Señor, quiero cumplir lo mejor posible la función que me has confiado; pero si tu voluntad fuera que otro la realizara, está bien, que así sea.*

Debes estar siempre dispuesto a ceder a otros lo que haces, conforme a la voluntad de Dios. Porque ninguno de nosotros es inmortal, y si cualquier día podemos morir, también nuestro servicio puede terminar en cualquier momento. Por eso es importante edificar la autoridad de los demás, para que Dios pueda servirse de ellos, para que asuman las funciones que hayamos cumplido hasta ahora.

Sin tal actitud es difícil imaginar el desarrollo de la vida interior.

Trata de vivir el momento presente como si tu vida fuera a terminar en poco tiempo. Por supuesto sin inquietud, porque todo está en las manos de Dios.

Esta actitud es expresión de que te humillas ante Dios,

de que reconoces que eres "recipiente de barro" que por sí mismo es muy frágil y nada puede. ¿Podrías ser insustituible? ¿No podría Dios servirse de otro "recipiente"?

La esclavitud del apego a las funciones que se cumplen

El excesivo apego a las funciones que uno cumple, es un obstáculo importante en la aspiración a la santidad. El hecho de cumplir tu función con apego a ella, sin estar dispuesto a renunciar en favor de otro, puede imposibilitar tu santificación. El apego a la posición que tienes es una forma de esclavitud.

No quieras ser insustituible, reconoce que eres "recipiente de barro".

El hecho de ponerte así en la verdad ante Dios te hará libre;

entonces Él se convertirá para ti en lo primero y más importante.

Tu deseo será mostrarlo siempre a Él, comprenderás que no cuenta el "recipiente" sino sólo Aquél que se sirve de él.

El hecho de que hoy Dios actúe a través de ti, no significa que mañana no escogerá a otro. ¿No le estarás impidiendo a Él actuar libremente precisamente por tu apego a la función que desempeñas?

¿No querrás "manipular" al que has cedido tu función, aunque sea discretamente? Esto sería una prueba de que no quieres ser esclavo de Cristo ni imitar a María, y de que te consideras un "recipiente de oro", del que los demás no pueden prescindir.

El pobre de espíritu, el que reconoce la verdad, es libre, porque la verdad libera. Esa persona no teme morir y dejar inacabada alguna obra importante de su vida. Reconoce su condición de "recipiente de barro" y no se cree insustituible.

Debes querer cumplir tu función,
si ésta es la voluntad de Dios,
pero, al mismo tiempo,
debes estar dispuesto a renunciar a ella
en el mismo instante
en que Dios lo quiera.

Esto se refiere incluso a la función y a los deberes
de los padres.

Los padres, al educar a los hijos, deberían sobre todo, procurar mostrarles a Dios. Es lógico que tengan que cuidar de ellos. Pero, en un momento dado, cuando los hijos empiecen a ir por su propio camino, los padres deberían "desaparecer" hasta cierto punto, para que los hijos puedan apoyarse más en Dios mismo y comiencen a encontrarlo todo en Él.

No preguntes el porqué

Si quieres ser siervo de Cristo, es posible que
Él te trate de distintas maneras:
a veces podrás recibir gracias "fáciles",
y otras veces, "difíciles".
El Señor no tiene que explicar al súbdito por qué
le da caramelos
ni por qué lo alimenta con "amargura".
Un siervo de **Aquél**
que es el **Amor**,
jamás preguntará ¿por qué?
María no hizo esa pregunta
ni en la Anunciación,
ni al pie de la cruz de su Hijo.
Ella fue siempre esclava de Dios. Este con-
cepto posee un profundo significado, aunque hoy
en día, con frecuencia, un siervo en muchas cosas
no es menos importante que su Señor. En los tiempos de Cristo era diferente. Lo encontramos en
las siguientes palabras que Él dirigió a sus Apóstoles: "No os llamo ya siervos, porque el siervo
no sabe lo que hace su amo; a vosotros os he
llamado amigos" (Jn 15,15).
El siervo no sabía lo que hacía su amo, es
más, se exigía de él que aceptara no saberlo: se
convertía en una especie de siervo–esclavo.
María era una sierva, en el sentido de que
aceptaba no saber.

Sólo preguntaba lo
que era imprescindible para realizar las indicaciones del Señor,

para poder realizar plenamente su voluntad. Era como el niño del Evangelio, que confía plenamente en el Padre y mira el mundo con sus ojos, incluso cuando no comprende del todo lo que le sucede.

Es necesario que imitemos a María precisamente en su total humillación ante Dios, en la actitud de esclava. Ella adopta esa actitud porque sabe que Dios es Amor, que **su entrega es una entrega al Amor**.

Si crees
que **todo** lo que Dios hace
es expresión de su amor,
no esperes explicaciones especiales,
no analices
por qué alguna vez fuiste particularmente honrado
y otra vez despojado de todo.

Esta actitud te permitirá aceptar **tu propio camino hacia Dios**, ya que son varios los senderos por los que vamos hacia Él y con frecuencia son incomprensibles para nosotros.

"¡Cuán insondables son sus designios e inescrutables sus caminos!" (Rom 11,33).

Pero, ¿cómo se realiza esto en mi vida?

A pesar de mis esfuerzos, ¿no caigo continuamente en algún vicio?

¿No hago buenos propósitos y luego vuelvo a caer?

¿No me acuso arrepentido en el Sacramento de la Reconciliación y después vuelvo a pecar?

Si adoptas ante Dios la actitud de siervo, entenderás más facilmente el sentido de este camino. Entonces te dirás a ti mismo: *sin duda soy tan orgulloso, que tengo que conocer mi mal por medio del pecado. Seguro que por culpa de mi orgullo Dios tiene que probarme tanto. Él de hecho no quiere que caiga y que con eso le hiera. Sin embargo, lo permite para que yo pueda irme convirtiendo a costa de su sufrimiento.*

Ha puesto los ojos en su humildad

Los versículos del Evangelio que hablan de María, nos la presentan como la pobre de espíritu. Las palabras del "Magnificat", que reconocen cómo Dios "ha puesto los ojos en la humildad de su esclava" (cf. Lc 1,48), han sido expresadas en el texto griego original con el hebraísmo: "ha mirado la pequeñez"[25].

María, al ponerse ante Dios en la verdad, reconoce su propia "pequeñez".

Ponerse en la verdad
es reconocer
que sin apoyarnos en Dios seríamos capaces de cometer cualquier pecado.

María permanecía libre de todo mal por la gracia de Dios, pero, también por su cooperación con ella, **que consistía fundamentalmente en permanecer en la humildad.** María se hallaba libre del pecado original y de las tentaciones internas,

---

[25] La expresión hebraica correspondiente significa "mostrar misericordia en razón de la humildad". Cf. W. Bauer, Griechisch-deutsches Wörterbuch zu Schriften des Neuen Testaments und die übrigen urchristlichen Literatur, Berlin-New York; Kolum 1988, 588.

pero no de las tentaciones externas. Hasta el mismo Jesús fue tentado. Igual que Adán y Eva pecaron, María habría podido pecar también, pues de hecho era plenamente libre.

¿Dónde se esconde el misterio de este maravilloso fenómeno, el más maravilloso que haya ocurrido alguna vez en la tierra a criatura alguna? Ciertamente, en la gracia de Dios, pero, también en la respuesta a esa gracia.

Podemos pensar que María, perfectamente humilde,
reconocía que era capaz de cometer
todos los pecados posibles.

El hombre verdaderamente humilde jamás cree que hay algunos pecados que con toda seguridad no cometería.

Dios vió la profundidad de su humildad:
el abismo de su miseria, por un lado,
y el abismo de su confianza por el otro,
por eso, "puso los ojos en la humildad de su esclava".

La preservó de todo pecado
y la llenó de sí mismo.

La Madre del Hijo de Dios se convirtió en un recipiente
que Dios llenó,
pero aquel recipiente reconocía continuamente su fragilidad.

Ella sabía que el tesoro de aquel Don que es Dios, lo llevamos en recipientes de barro (cf. 2Cor 4,7).

Dios llenó a María totalmente,
porque, de alguna manera, ella continua-

mente le llamaba
con su actitud de permanecer en la verdad.

Con nuestra mirada fija en María

Vemos que María se sometió en todo a la voluntad y a la actuación de Dios. Aquella que siempre dice "sí" a su Señor, la que se llama a sí misma "esclava del Señor", cumple la voluntad de Dios de un modo perfecto. Es como una semilla que se somete dócilmente a los planes establecidos por el Creador.

Así ha de ser también tu actitud hacia todo lo que Dios tiene planeado para ti.
Deberías ser como una semilla,
tan sumiso y absolutamente obediente a su voluntad,
que crezcas y mueras exactamente como Él quiere.

Tu voluntad debería someterse totalmente al Creador.
Irás muriendo a ti mismo
en la misma medida en la que quieras
ser como ella, "esclavo" del Señor.
Sólo entonces se podrá realizar lo mejor posible
el proceso de tu muerte
y el de tu crecimiento a una vida nueva: la vida de Dios.

Entonces llegarás a ser un instrumento
del que Dios podrá servirse
para la realización de sus planes

en tu ambiente más cercano,
en tu ciudad,
en tu país,
y en todo el mundo.
Este es el plan de Dios para cada uno de
nosotros.

3. EL ABANDONO FILIAL EN MARIA

Cuando en el camino a la santidad atravesamos la etapa del desierto, con frecuencia nos atormentan oscuros pensamientos sobre nuestro futuro. Pero, a veces, también el presente nos fastidia tanto que no queremos aceptar nuestra situación y comenzamos a rebelarnos.

Pasar por las experiencias y tormentos del desierto espiritual, puede ser algo muy difícil, ya que con frecuencia son efecto de la incomprensión por parte de quienes nos rodean, del rechazo o de las acusaciones injustas.

La vocación de los Apóstoles
al camino de la cruz

San Juan Evangelista se enfrentó a estas experiencias el día de la muerte de Cristo. Al pie de la Cruz escuchaba los insultos y gritos hostiles, en medio de los que moría su amado Maestro. De esta manera, hasta su futuro pudo haberle parecido horrible. San Juan, cuya fe todavía no estaba plenamente formada, quizá tuvo miedo de que, como discípulo del Condenado, también fuese acusado, perseguido, e incluso crucificado.

Al contemplar el camino por el que fueron

conducidos los Apóstoles, vemos que durante el prendimiento y crucifixión de Cristo sintieron que todo se desmoronaba. Pudo parecerles que lo que consideraban como el valor supremo,
sus sueños y planes,
la realidad de su vida hasta ese momento,
todo, se venía abajo.
Para ellos el día de la muerte de Cristo fue el de "la derrota total".

Jesús, antes de su muerte, preparó a los Apóstoles para aceptar la verdad de que tanto Él como sus discípulos, tendrían que ir por el camino de la cruz; sin embargo, ellos le traicionaron en el momento de la prueba, a pesar de que habían asegurado que irían por ese camino.

En ese momento todavía no aceptaban su llamada, si bien más tarde todos, excepto Judas, se unieron plenamente con el Crucificado.

Nuestras resistencias y rebeldías

También nosotros continuamente nos resistimos al camino de la Cruz.

Sabemos que deberíamos imitar a Cristo, sin embargo, apenas aparecen las dificultades, o si perdemos algo, inmediatamente brota en nosotros la resistencia y la rebeldía.

Toda nuestra naturaleza protesta.

Estamos casi dispuestos a dejar de creer en este Dios,
que no satisface nuestras pretensiones y nuestro egoísmo.

Algunas veces exteriorizamos nuestras rebeldías

y otras las vivimos de manera oculta.
Una forma de rebeldía es cuando nos rendimos ante las tentaciones,
y, en consecuencia, consentimos el pecado.
La rebeldía se expresa también en una visión desesperanzada
del futuro.
Todo nos deja de interesar;
pensamos que al fin y al cabo tendremos que perder todo
lo que hasta ahora era fuente de nuestra alegría.
Las perspectivas nos parecen cada vez más oscuras,
cada vez menos interesantes y deprimentes.
Durante el proceso de las purificaciones,
Dios te irá liberando
de las ilusiones y de los ídolos que antes adorabas.
Entonces puedes tener la impresión
de que estás cada vez más limitado,
más débil,
incluso desvalido,
como si un nudo invisible te apretara el cuello.
Tal vez entonces te irritarás y enfadarás.
Pero, Jesús dice muy claramente que todo el que quiera seguirle tiene que tomar la cruz de cada día, y cargarla hasta que le llegue el momento de morir en ella. Como Él.
Y ante todo esto puede aparecer una rebeldía enorme.

Tan grande que hasta tú mismo te espantarás.

Cuando nos espanta nuestra flaqueza

Efectivamente, en ciertas etapas de la vida interior descubrirás en ti algo que te aterrará. Sabrás que no eres capaz de hacer la locura de seguir el camino de la Cruz. Conocerás que cuando las experiencias del desierto se intensifican y la oscuridad es un poco mayor, todo comienza a rebelarse en ti. Entonces te preguntarás:
¿Cómo puedo ir por este camino?
En cada tentación, en cada prueba de fe,
me convenzo de lo débil que soy...
¿Cómo voy a poder ir por el camino de Jesús?
No tengas miedo, también hay una oportunidad para los débiles y para los que todavía no han creído totalmente. Las palabras del testamento de Cristo pronunciadas desde la Cruz a María y a san Juan son un signo de esperanza para todos:
"«Mujer, ahí tienes a tu hijo (...)
Ahí tienes a tu madre.»" (Jn 19,26-27).
Al morir en la Cruz, el Salvador **confía** su Madre a Juan, y, al mismo tiempo, **entrega** a Juan y a todos por los que muere, a Aquella que se entregó totalmente a Dios (cf. RM 45).

Por lo tanto, no te asustes de tu debilidad.
Tú, por tus propias fuerzas nunca elegirás el camino de la Cruz,
pero, de hecho, las palabras del testamento

de Cristo
son un **don especial** también para ti.
Tú también eres hijo de la Madre de Dios,
tienes un derecho particular a estas palabras.
Entonces, ¿por qué tienes miedo?
¿Por qué quieres cargar tú solo con la cruz?
¡De hecho tu tormento proviene precisamente
de ahí!
En tu orgullo y terquedad quieres cargar por
ti mismo tu cruz,
pero, de hecho, tu solo no lo conseguirás.
Cristo quiere
que le pidas ayuda a su Madre.

La vocación a la comunión de vida con María

Jesús entrega a Juan
y a cada uno de nosotros
a su Madre.
¿Qué significa eso?
Juan Pablo II enseña que "Entregándose filialmente a María, el cristiano, como el apóstol
Juan, «acoge entre sus cosas propias» a la Madre
de Cristo y la introduce en todo el espacio de su
vida interior, es decir, en su «yo» humano y cristiano" (RM 45).
Con el testamento de la Cruz, Jesús nos
llama
a cada uno de nosotros
a construir una comunión de vida con María.
El Salvador quiere
que introduzcamos a su Madre

en nuestra vida interior.

Las palabras "la acogió en su casa" significan no sólo que san Juan acogió a María en su propia casa y cuidó de ella, sino también una forma completamente nueva de relación interpersonal, **una comunión de vida** entre San Juan y la Madre de Dios.

La entrega de María a Juan como madre, constituye una "nueva relación íntima de un hijo con la madre" (RM 45).

Entregarse a María conduce a una relación especial con Ella. Por la muerte de Cristo, Dios derrama sobre el mundo su amor insondable; paternal y maternal. Quiere que éste llegue a las capas más profundas de nuestros corazones **por medio del Corazón de María.**

Esta gran gracia exige una respuesta.

La respuesta que Dios espera
es tu entrega a María,
que se expresa
en **vivir esa relación especial con ella.**

La diferencia entre "entregar" y "confiar"

Hay una gran diferencia entre las palabras "confía" y "entrega". "El Redentor – escribe Juan Pablo II – confía María a Juan, en la medida en que a Juan lo entrega a María" (RM 45).

Cristo "confía" María a Juan,
para que él la cuide.
En cambio, a Juan lo "entrega" a María,
como cuando Dios
entrega

un niño
a su madre.
La madre le da a luz,
vive en una unión singular con él
y le ama como si fuera su único hijo.
Por eso, el hijo,
con una confianza inquebrantable,
puede entregarse a ella.

Al entregarse a María, Juan la introduce en
su vida interior para compartir con ella todo lo
que constituye su "yo".
   "*La entrega* – como dice el Papa – *es la respuesta* al amor de una persona y, en concreto, *al
amor de la madre.*" (RM 45).

La relación íntima con la Madre

Desde ese momento, Juan resolverá
todos los asuntos fundamentales
unido a la Madre del Señor,
dejándola intervenir en sus vivencias
y experiencias más personales,
permitiendo que Ella le conduzca
como una madre conduce a su hijo.
   Empieza también tú
a construir tu relación interior con María
como la de un niño pequeño
con su madre que le ama.
   Introdúcela
en las esferas más íntimas de tu vida.
   Procura permanecer siempre en actitud

de infancia espiritual.
Debes querer ser débil como un niño,
cuyas posibilidades **propias** son casi nulas.

Ante las pruebas y experiencias

Adoptar esta actitud simplifica mucho el paso
por las diversas pruebas y experiencias. Al que
se abandona en María le será mucho más fácil
tener la actitud de hijo de Dios; del hijo que, al
creer que es amado y plenamente aceptado, guarda en toda situación la dignidad que le es propia. Entonces, por ejemplo, el rechazo por parte
de los demás ya no será tan doloroso.
Si Dios me acepta,
  entonces el rechazo por parte de los demás es úni-
camente
  para purificarme
  de las ataduras excesivas,
  de contar demasiado con los demás,
  y de tratar de ganarme una buena opinión
  a los ojos del mundo.
El que tiene la actitud de hijo de Dios conducido por María, de alguna manera permanece
por encima

de las acusaciones,
de la mala opinión ajena,
de la incomprensión, del
rechazo.
Sólo querrá ser reconocido por los demás, si es la
voluntad de Dios. La entrega filial a María nos
libera de lo que generalmente nos limita tanto: de

la transigencia innecesaria e inapropiada con el mundo.

Cuando alguien se entrega a María, deseando que Ella vaya formando su vida interior, la santificación llega a ser la meta de su vida, es decir, el ser penetrado por Cristo de tal manera que desaparezca cada vez más su "yo", para que Cristo comience a vivir en él.

Y esto se realiza normalmente en un clima de rechazo por parte de los demás.

El desprecio y la incomprensión llegan a ser entonces lo cotidiano en nuestro camino hacia la santidad.

Un hijo de Dios conducido por María, está seguro de que Dios le ama a pesar del abismo de su mal; cree que el abismo del amor de Dios supera infinitamente incluso el abismo más profundo de la nada humana y del pecado.

Cumpliendo la voluntad de Dios, no tiene miedo de si será comprendido y aceptado. Si Cristo, que lo conduce, quiere que permanezca en un lugar destacado y realice apostolado con su palabra, lo hará creyendo que Él mismo hablará a través de él, que se servirá de él para cumplir Su voluntad, porque Dios todo lo puede. Y cuando sea humillado lo aceptará con dignidad, porque ninguna humillación hará vacilar su fe en que es amado.

Esta actitud puede aparecer en nuestra vida gracias a la "entrega filial respecto a la Madre de Dios" (RM 45).

La entrega filial a María es una oportunidad para cada uno de nosotros. Una oportunidad de entrar en un contacto tan personal e íntimo con nuestra Madre espiritual, que le permitirá[26] participar de la manera más plena en la formación de nuestra vida interior.

Cristo quiere que introduzcas a María en toda tu vida,

en tus vivencias interiores más íntimas.

Quiere que la imites lo mejor posible.

Entonces, llegarás a ser **fuerte con la fuerza de su Hijo.**

Imitar en todo a María

El contacto íntimo con su madre hace que el hijo, al observarla, sin darse cuenta comience a ver todo con los ojos de ella. Un niño pequeño imita consciente o inconscientemente a su madre, ya que comparte con ella todo lo que vive. Y ella también participa en sus vivencias interiores.

Esto es precisamente lo que debe ocurrir en el caso de un hijo de Dios, que al entregarse filialmente a su Madre espiritual comienza a compartir con Ella toda su vida, **surgiendo una comunión de personas**[27]. Y tiene su mirada de tal

---

[26] Pues (María) asunta a los cielos, no ha dejado esta misión salvadora, sino que con su múltiple intercesión continúa obteniéndonos los dones de la salvación eterna (...). Por este motivo, la Santísima Virgen es invocada en la Iglesia con los títulos de Abogada, Auxiliadora, Socorro, Mediadora. Lo cual, sin embargo, ha de entenderse de tal manera que no reste ni añada a la dignidad y eficacia de Cristo, único Mediador (cf. LG 62).

[27] Entrar en comunión con María debe entenderse como la plena imitación de su actitud ante Dios.

modo fija en Ella, que incluso sin darse cuenta,
trata de **imitarla plenamente:**
en su forma de ver el mundo,
en su modo de pensar,
de valorar,
en su oración y en su vida.

Al imitar a María,
nos unimos con Cristo
y ya no vivimos nosotros, sino Él en nosotros (cf.Gál 2,20).

Dejarse formar por Ella

El hijo, respondiendo al amor de su Madre y
abandonándose en Ella, le permite formar su vida
interior a imagen de la suya.
Juan recibió esta gracia inefable cuando todo
le parecía oscuro e irremediablemente muerto. Este
morir fue para él anuncio de algo nuevo, de un
mundo nuevo, de lo que habría de llegar después
de la consumación del misterio de la Cruz.
Si algún día todo se te derrumba,
puede significar que
debes construir una comunión de vida más
profunda con María,
tu Madre espiritual.
Un hijo de Dios que sale al encuentro
de su Madre
y sin miedo permite que Ella lo forme,
comienza a vivir de otra manera.
Su vida se transforma,

aunque él no tiene por qué saberlo.

Obviamente esto será un proceso; por lo general en nuestra vida interior nada se realiza de forma repentina, como por arte de magia. Su crecimiento requiere tiempo y esfuerzo. Además, a menudo se realizará de manera imperceptible para nosotros.

Y este proceso de formación de nuestra relación filial con María, no transcurre sin dificultades, porque el hombre espiritualmente viejo quiere decidir **por sí mismo** sobre su futuro.

Quizás con frecuencia tú tampoco confías en María,

porque **confías** continuamente **en ti mismo**.
Tal vez te rebelas,

y no quieres aceptar los dones
que Dios te ofrece a través de las manos de María...

Pero, de hecho, sólo cuando seas pequeño,
desvalido,
y confíes ilimitadamente en Dios,
serás obsequiado con el verdadero poder.

Un hijo de Dios desvalido y confiado en la misericordia, dispone del poder del mismo Creador.
Para quien permanece ante Dios en la actitud
de infancia espiritual,
nada hay imposible.

La construcción de la comunión de vida con María llegará a ser
tu *camino a la santidad.*

Esta es una oportunidad extraordinaria para ti.

Si no quieres, puedes intentar cargar con la

cruz tú solo e imitar a Cristo; es otra posibilidad. Pero, si se te da la gracia de comprender quién es María para ti, aprovecha este don.

Tu diálogo interior con María irá creando esta admirable comunión, gracias a la cual serás formado a semejanza de María, lo que significa que comenzarás a vivir cada vez más como Ella vivía.

Si te abandonas en María, Ella te abrirá plenamente al Espíritu Santo y te enseñará a aprovechar sus dones.

Este llegará a ser tu camino hacia la plenitud de tu vida de fe.

4. EN LOS BRAZOS DE TU MADRE

Para que podamos cumplir la voluntad de Dios en todas las cosas, necesitamos primero enamorarnos de Él. María, nuestra Madre espiritual, quiere conducirnos precisamente a amar a Dios hasta la locura. Sólo un hombre enamorado de Dios se vuelve loco por Él, en sus deseos y en las cosas que hace. Por eso, el abandono total en María se convierte en camino hacia un amor a Dios cada vez más profundo.

Ella, por voluntad de su Hijo único, es nuestra Madre espiritual y nos ama como amaba a Jesús en su naturaleza humana. Ya desde el momento de la Encarnación se entregó totalmente a disposición de su Hijo cumpliendo de esta forma su misión de Madre. Su vida fue un continuo estar al servicio de Él y de su misión. Y todo lo que hace para Él y con Él, está relacionado con la salvación de los hombres y, por tanto, también con nuestra vida espiritual.

Madre y maestra de nuestra vida

El Concilio Vaticano II enseña que María por medio de su maternidad cooperó en la obra de la

Salvación para la renovación de la vida sobrenatural en las almas. "Concibiendo a Cristo, engendrándolo, alimentándolo, presentándolo al Padre en el templo, padeciendo con su Hijo mientras Él moría en la cruz (...). Por eso es nuestra madre en el orden de la gracia" (LG 61).

María empleó todas sus fuerzas físicas y espirituales en la realización de su vocación como Madre de Jesús. También se empeña totalmente y hasta el final en la prolongación de esta vocación: su maternidad espiritual con respecto a cada uno de nosotros.

Ella vive para nosotros,
cuida de nosotros
y está completamente a nuestra disposición.

Desde el momento de nuestra concepción nos acompaña,

nos sirve por medio de nuestras madres de la tierra,

para quienes obtiene las gracias necesarias.

Ella está junto a nosotros mucho más que nuestras madres de la tierra, cuyas posibilidades son limitadas. La Madre Celestial está incesantemente "a disposición" de cada uno de sus hijos; está dispuesta a acudir cada vez que la llaman.

Cuando comiences a ver tu vida a la luz de la fe, verás que era Ella quien se levantaba por las noches para atenderte,

te alimentaba y cuidaba,

velaba junto a ti en cada instante de tu vida.

Ella te cuidaba a través del médico que te curó,

Ella te mostró su amor a través de todas las personas
que te han hecho algún bien.
Gracias a Ella
has encontrado en tu camino tanto afecto y bondad humana.
María está continuamente junto a ti, cuida de tu desarrollo integral, y especialmente de tu desarrollo espiritual. **Ella es Madre y Maestra de tu vida interior.**
Su deseo más profundo es que Cristo crezca continuamente en ti, de manera que en tu corazón ya no haya lugar para ti mismo, sino sólo para Él y su voluntad.

Lo más importante es tu apertura al amor de Dios, la actitud de abandono, la sencillez y la humildad del niño del Evangelio. Esta apertura es la que determina nuestra oración y nuestra relación con Dios.

Sin embargo, en el período en que crecen la aridez y las oscuridades de la fe, puede aumentar tu tibieza. Entonces, en contra de toda tu experiencia, deberías buscar los caminos para vivificar incesantemente el espíritu de oración. Cuando experimentes que olvidas la presencia de Dios, trata de tomar conciencia con más intensidad de esa presencia, por ejemplo, ayudándote de ciertas imágenes que te muestran el amor de Dios.

Llevados "en los brazos de María"

Una de esas imágenes puede consistir, por

ejemplo, en verte en los brazos de Aquella a quien Cristo nos entregó como Madre, diciendo: "Mujer, ahí tienes a tu hijo" (Jn 19,26). Desde el momento en que estas palabras fueron pronunciadas, María ama a cada hombre como amaba a su Hijo único, en su naturaleza humana, mientras vivió en la tierra. Jesús es su hijo, y por Él, san Juan se convirtió en hijo de María y con él todos los hombres que viven en el mundo.

El amor de la Madre se manifiesta también en los gestos. Ella le muestra a su hijo su ternura, por ejemplo, cogiéndole en brazos. Con este gesto se estrecha al hijo contra el corazón, y, al mismo tiempo, se le eleva. El hijo que es levantado hasta la altura del rostro de su madre se siente seguro y tan grande como ella.

María, que se nos ha dado como Madre, llevaba en sus brazos a Cristo. También nosotros tenemos derecho a pensar que "nos lleva en brazos". Cuando Jesús dijo a su Madre: "Mujer, ahí tienes a tu hijo", fue como si le dijera: "Madre, desde hoy cuidarás de todos los hombres y les «llevarás en brazos» como hijos tuyos, igual que me llevabas a mí". Y las palabras dirigidas a Juan: "He aquí a tu Madre", pueden interpretarse como: "Juan, desde hoy tienes el derecho especial de aprovechar el privilegio de ser hijo de María; este privilegio consiste en 'estar en los brazos' de mi Madre, que también es tu Madre".

Cuando contemples una imagen de María,

siempre podrás recordar
-y no es una exageración-

que estás en sus brazos
como Jesús.
Aceptar esta verdad exige la locura de la fe,
y esto sólo es posible si posees la actitud del
niño del Evangelio. ¡Decídete, aunque sea solo un
poquito, a esta locura de la fe y acepta este misterio del amor de Dios! Comenzarás a obtener de
Él, el consuelo y alegría que te permitirán vivir
con la fe del niño, incluso en los momentos más
difíciles.

La vida interior "en los brazos de María"

El hecho de que María "nos lleva en brazos"
es una realidad objetiva que no depende de tu fe.
Las palabras del testamento de Cristo pronunciadas desde la Cruz, significan de hecho una verdad
objetiva sobre la maternidad de María en relación
a todos los hombres. Su maternidad no depende
de que la reconozcamos o de que creamos en ella.
Independientemente de que creas en ello o no,
de que lo recuerdes o no,
estás "en los brazos de María".
Reconocer esta verdad, puede ser una oportunidad para abrirse a Dios y a su misericordia.
Puede convertirse en un elemento esencial de tu
vida espiritual.
La conciencia de que María "te tiene en sus
brazos" te permitirá permanecer en la presencia
de Dios con fe inquebrantable en su amor. Esta
conciencia no tiene que ir necesariamente acompañada de una experiencia sensible o emocional.

Es posible que en algunas etapas de tu vida interior no sientas nada, pero, a pesar de ello, esta certeza constituirá un elemento esencial de tu vida espiritual.

En cambio, si no aceptas esta verdad
o la olvidas rápidamente,
tú mismo te condenarás a los tormentos innecesarios
que trae consigo la actitud del hombre viejo de espíritu.

El hombre viejo de espíritu, al contrario que el niño del Evangelio, quiere resolver sus problemas por sí mismo. Así se expone a las tentaciones de Satanás, se hunde en el mal de este mundo y peca.

Él mismo se condena al sufrimiento.

Si tuviera la sabiduría del niño del Evangelio, no tendría que sufrir por su propia culpa.

Un niño sabe que toda su "grandeza" viene de que su mamá le levanta muy alto. ¿Qué pasaría si lo olvidara, y apropiándose de esa "grandeza" comenzara a creer que es tan grande como Ella? Seguramente caería rápidamente de sus brazos, lo que quizás le acarrearía trágicas consecuencias.

La gracia que compromete

La Virgen María, al envolver a sus hijos con su extraordinario amor, los "levanta muy alto" y lo hace con tal discreción que, a menudo, no se dan cuenta de a quién le deben este "enaltecimiento".

Sin embargo, cuando por voluntad de Dios, María elige a alguien como instrumento especial suyo, entonces le muestra muy claramente lo pequeño que es. Le descubre que se encuentra muy alto sólo porque Ella "lo levanta en sus brazos". Así pues, será una **gracia especial** para ti que veas este papel maternal de María en tu vida.

¿Por qué recibes esta gracia?

Esto forma parte del misterio de la elección de Dios.

Pero recuerda que la gracia compromete.

No recibes un talento para enterrarlo en la tierra.

Debes servirte de él, de acuerdo con la voluntad de Dios,

para tu propia santificación y la de los demás.

Por eso, pídele a María que la conciencia de que eres "llevado por Ella en brazos" vaya penetrando toda tu vida.

El día a día "en los brazos de María"

Esta conciencia de estar en los brazos de María, será percibida de diferentes formas dependiendo de la etapa de la vida interior en la que cada uno se encuentre; podrá ser reforzada por los sentimientos o ser resultado sólo de la fe.

Tu oración debería estar especialmente penetrada por este gran misterio del amor de Dios. La convicción de que por voluntad de Dios estás "en los brazos de María" debe acompañarte, sobre todo, en tu participación en la Santa Misa y en tu confesión. En este espíritu puedes meditar, puedes orar con la oración del publicano o con cualquier otra oración. Cuando reces por los demás puedes también pedir por su apertura a esta inconcebible gracia de Dios.

La convicción de que María "te tiene en sus brazos" debe acompañar todos los actos de tu vida cotidiana. Independientemente de que aquello de lo que te ocupas sea importante o insignificante, siempre estás en sus brazos.

"En sus brazos" trabajas,

comes,

tomas café.

"En sus brazos" te adormeces y duermes.

Trata de comenzar cada día con un acto de fe

en que **Dios**, en su insondable amor por ti,

quiere

que María te lleve tal como llevaba a su Hijo único.

También cuando pecas

María no te suelta de sus brazos ni siquiera cuando pecas. De no ser así el pecado podría volverse para ti una catástrofe irremediable. Cuando crees que estás "en sus brazos", te es más fácil levantarte de la caída y volver a la vida de la gracia. Esa fe evita que un pecado ocasione en ti una avalancha de nuevos pecados.

Los brazos de la Virgen son ese lugar extraordinario

en el que puedes renacer después de cada pecado.

"En sus brazos" conocerás más fácilmente tu flaqueza y que por ti mismo no eres capaz de imitar a Cristo.

No olvides que María sufre intensamente el tormento que tu pecado le causa a Cristo. Para Ella es muy doloroso que desprecies el amor de su Hijo, maltratando tu propia dignidad y ofendiendo a Dios, que te amó hasta el extremo. A pesar de ese gran sufrimiento, Ella no te suelta de sus brazos, pues, si te dejara solo, abandonándote a tus propias fuerzas, morirías.

Tal vez te sea difícil creer en esto cuando no percibas su presencia. Dios puede permitir las oscuridades de la fe y la falta de sentimientos, para que tu fe vaya creciendo.

Él mismo actúa a través de María y sus manos simbolizan las manos misericordiosas del Padre, en las que vivimos como hijos suyos y que sostienen nuestra existencia.

María ante su Hijo crucificado

María vio cómo Jesús llevaba la Cruz a cuestas, pero no trató de cargarla físicamente con Él, porque sabía que no era esa la voluntad de Dios.

¿No quería ayudarle en ese momento?

¿Acaso no le amaba?

María sabía que la mejor forma de ayudar a Cristo

era cumpliendo la voluntad de Dios.
Y Dios quería que la Madre de su Hijo
le ayudara de manera
espiritual y no física.
Ella respetó plenamente la voluntad de Dios.

Cuando crucificaron a Jesús, María no trató de proteger con sus manos las de Cristo, traspasadas por los clavos, ni trató de sacarlos. Un comportamiento así habría sido comprensible, porque una madre prefiere sufrir Ella misma que ver el sufrimiento de su hijo. Cuando Jesús moría en la Cruz, Ella no hizo nada que pudiera consolarle en su sufrimiento físico. Sabía que el Padre aceptaba el terrible tormento y la soledad de su Hijo, y por eso le acompañaba discretamente.

María no ayudó a Cristo visiblemente, como hizo el Cireneo. Sabía que la voluntad de Dios era que le ayudara alguien que fuera obligado a ello.

Por voluntad de Dios, María permaneció a cierta distancia, aunque fue precisamente Ella la que lo acompañó de la manera más profunda en todo lo que Él pasó; cuando lo clavaron en la Cruz, fue espiritualmente crucificada con Él.

María ante nuestra crucifixión

Puedes suponer que María se comporta
                    contigo de la misma manera.
Cuando cargas con la cruz de tus purificaciones,
con la cruz de todo aquello que Dios permite
para que te conviertas y cambies,

cuando el hombre viejo que hay en ti es crucificado,
Ella está cerca,
y te ayuda,
aunque tal vez no estés en condiciones de
verlo ni sentirlo.
María respeta el misterio de la voluntad de
Dios.
Sabe que también tú debes experimentar en
cierto grado
lo mismo que Jesús:
la amargura de la soledad,
el abandono por parte de los más cercanos.
Cuando cargas la cruz,
Ella "te carga en sus brazos" junto con tu cruz,
independientemente de que lo percibas o no.
Dios no te revelará todo porque quiere per-
mitirte crecer en la fe. Tampoco te descubrirá la
verdad de que los brazos de María te sostienen;
verdad que expresa su amor inconcebible por ti.
Entonces, no te sorprendas de que Ella "te lleve
en brazos" tan discretamente, que no te deje sentir su presencia, incluso cuando parece que esto
te debilita en la lucha contra la infidelidad y el
pecado.
Cuando llegue el momento de morir, también
estarás "en sus brazos". Ella misma te conducirá a
través de la frontera de la vida. Cuando en el momento de tu muerte veas el abismo de tu mal, no
te horrorices. Al creer que María "te tiene en sus
brazos" permanecerás en los brazos de la Misericordia Divina. Entonces, más que nunca, estarás completamente sumergido en ella.

María te sostendrá, tal como sostuvo en sus brazos el cuerpo de Cristo, después del descendimiento de la Cruz. La muerte asusta, porque es el momento de las últimas y probablemente mayores oscuridades.

Sin embargo, si llegas a tener la actitud de infancia espiritual

y la fe en que Dios te ama a pesar de tu nada, no tendrás miedo en el último momento de tu vida.

No olvides que estás en sus manos, aún cuando en las más grandes oscuridades, que serán para ti una gracia especial de Dios, digas como Cristo: "¡Dios mío, Dios mío! ¿por qué me has abandonado?" (Mt 27,46).

Siempre que sufres Ella te acompaña,

y conoce plenamente el sentido de tu sufrimiento.

Por eso espera que tú también creas

que todo lo que te ocurre es una gracia que Dios te da;

el sufrimiento puede liberarte de diversos apegos,

puede destruir tu falsa visión del mundo y de Dios,

y de esta forma acercarte a Él.

María, como modelo y Madre de la Iglesia, es el ejemplo

en el que son modeladas nuestras almas.

Este es un proceso que se realiza poco a poco, que dura

toda la vida,

y que se completa en el momento de la

muerte.
Si no es así,
deberá continuar en el purgatorio.
Pero Dios quiere
que ya en esta vida seas plenamente mo-
delado
a ejemplo de María.
Quiere que te santifiques en medio de
las experiencias de
la vida,
y, si llegas a unirte totalmente con la
voluntad de Dios,
también te unirás a Cristo crucificado.
Si se te concede llegar a ese grado de unión
con Cristo en su pasión, y por eso mueres en medio
de un gran sufrimiento, en la soledad y en el
abandono,
recuerda que María estará contigo,
tal y como estaba con su Hijo.
Tienes derecho a una relación con María,
tal como la que existía entre Jesús en su naturaleza humana y Ella.
Eres hijo adoptivo
en virtud del testamento de la Cruz.
Al conocer el amor de María
sabrás lo mucho que Dios te ama,
porque es Él quien te muestra su amor
por medio de Ella.
Dios nos comunica su amor por intercesión
de María.
Al descubrir este amor inconcebible,
querrás responder a él,
y, entonces, podrás llegar a la plena unión

con Cristo.

Esta es la mayor gracia con la que puedes ser obsequiado aquí en la tierra.

CONTENIDO

Parte II

Dios enamorado de tí

Parte III

"Ahí tienes a tu Madre"